JN112605

4週間でマスター

2級

建築
施工管理
第二次検定

井岡 和雄 編著

弘文社

まえがき

　本書を手にとり勉強を始めようとしている皆さんの多くは，建築の技術者として第一線で活躍しておられることでしょう。あるいは，これから活躍しようと考えているかもしれません。建築には多くの資格がありますが，その中でも代表的な国家資格として，「建築士試験」，「施工管理技士試験」があります。「建築士試験」は建築物の設計・監理を目的とした試験であり，「施工管理技士試験」は建築物の施工管理を目的とした試験です。とくに現場で活躍されている方が最初のステップとして挑戦するのに最適な試験が「2級建築施工管理技士試験」です。施工の質の向上を担うためには，豊富な知識やスキルが必要ですので，ぜひとも「2級施工管理技士試験」の合格を目指してください。

　「2級施工管理技士試験」は，第一次検定と第二次検定を同時に受験できますが，第一次検定に時間を費やして，**第二次検定の準備期間を確保できずに受験する可能性が高い**です。また，第二次検定のみを受験する方でも，日常の多忙な業務の中で，本試験の合格は困難だと考えがちです。しかし，**第二次検定の出題傾向・内容をスピーディに習得し，その対策を講じれば，試験に合格することは十分可能**です。

　そこで本書は，「2級施工管理技士試験」の第二次検定対策のみを，**4週間でマスター（第一次検定からの受験であれば1週間でマスター）**することを想定し構成しています。1項目を1日で習得すれば1週間でマスターできるので，4週間で2〜3回の繰り返し学習が可能です。また，**各項目においては，合格に向けた最低限必要な要点を整理し，さらに出題される可能性の高い問題を解くことによってスピーディに学習できる**ように構成しました。**試験直前の超短期決戦用問題集として活用**してください。

　なお，仕事などの日々の忙しさ，自分自身の意思の弱さから，勉強を挫折する人が多くいますが，**ひとつ諦めずに最後までやり遂げてください**。徹底した自己管理と忍耐力を備えた方が合格に近づきます。本書を十分に活用した皆さんが**2級建築施工管理技士に合格**して，建築業界でいっそう活躍することを楽しみにしています。

著者しるす

目　次

本書の使い方

　本書は2級建築施工管理技術検定の第二次検定の出題内容が把握しやすく，短期間で合格できる構成としています。第二次検定の問題全5問を項目ごとにまとめ，各項目を **要点の整理と理解** 📖 と **本試験によく出る問題** 📖 の2つのステップで構成しています。第1ステップで**要点を整理**し，第2ステップで**出題頻度の高い問題**を中心に解答例をあげています。

　単に読んで，正解を導くことにとどまらず，この2つのステップを**効率よく活用して整理する**かが合格への近道です（下記マークも参考にして下さい）。2級建築施工管理技術検定の第二次検定は記述が主体となる試験ですが，出題される内容の**ほとんどが過去問からの出題**です。暗記も大切ですが，**記述する内容をまとめて整理する**ことを強く推奨します。実際に**鉛筆でしっかりと書く**ことが合格への対策になります。

1．「デルデル大博士」のでるぞ〜マーク

　各問題番号の横には，問題の重要度に応じて**デルデル大博士マーク**を1個〜3個表示しています。あくまで相対的なものですが，以下のことを参考に効率的な勉強を心掛けてください。

> ・3個：出題頻度がかなり高く，基本的にも必ず取り組むべき問題。
> ・2個：ある程度出題頻度高く，得点力アップの問題。
> ・1個：それほど多くの出題はないが，取り組んでおく方がよい問題。

2．「ポイント博士」，「まとめ博士」のマーク

　特にポイントとなる箇所には，解説中に**博士マーク**　　が登場します。得点力アップや暗記をしておくべき項目ですので，それらに注意して勉強を進めてください。

3．「がんばろう君」のマーク

　理解しておくとよい箇所や必ず覚えておくべき個所には，解説中に**がんばろう君マーク**　が登場します。

　合格するためには，がんばって理解してください。

本試験攻略のポイント

まず，第二次検定試験の内容を把握しよう。

　第二次検定は，施工管理法についての**記述式による筆記試験**と**マークシート方式の四肢一択試験**によって構成され，下記の分類にしたがって出題されています。

問題番号	出題内容
問題1	施工経験記述（施工計画，品質管理，工程管理のうち1問）
問題2	建築工事に関する用語（14個の中から5つを選択）
問題3	工程表に関する問題（バーチャート工程表，ネットワーク手法）
問題4	法規に関する問題（建設業法，建築基準法施行令などから計3問）
問題5－A	建築受検の選択問題（躯体4問，仕上げ4問の計8問）
問題5－B	躯体受検の選択問題（躯体大問4問で解答数8箇所）
問題5－C	仕上げ受検の選択問題（仕上げ大問4問で解答数8箇所）

　令和3年度の試験からは，問題4と受検種別問題5についてはマークシートによる四肢一択式の問題が出題されています。

大問の工事概要の記述と経験記述が合格のカギ。

　第2章の<u>施工経験記述に関する問題</u>は，受検者の**実務経験の有無**と**施工管理能力**を文章から判定する問題です。<u>この問題を解答できなければ合格できません</u>。

　出題される記述内容の項目は，**施工計画，品質管理，工程管理**が年度ごとに繰り返して出題されています。また，過去に同じ項目が続いた年度はほとんどないので，このうち**2つ**の項目に絞った勉強ができます。

　予想される項目についての「過去の設問内容」を出来るだけ簡潔にまとめ

ることを推奨します。その際，本書の 要点の整理と理解 📝 でイメージできる事例を優先的に記憶してください。

 用語と工程表の問題を確実に点数にする。

　記述中心の第二次検定の中で比較的点数にしやすいのが**工程表の問題**です。ネットワーク手法が中心となる問題の場合は，**総工期，クリティカルパス，トータルフロート，フリーフロート**などは確実に解答できるようにしておきましょう。ただし，バーチャート工程表の問題が最近続いているので，過去問で解き方を中心に勉強を進めておくことを推奨します。
　また，**建築工事に関する用語**については，本書の 要点の整理と理解 📝 を活用して，記述できるようにしてください。

 施工管理（躯体・仕上）の対策について。

　躯体・仕上げに関する問題の形式は，新検定制度から，マークシート方式四肢一択問題となっています。巻末の出題例 問題5を参考にしてください。受検種別「建築」では，最初の4問が「躯体」の問題で，残りの4問が「仕上」の問題です。すべての内容を把握するには範囲が広いので，本書の 要点の整理と理解 📝 の項目を中心に，問題にチャレンジしてください。出題される問題は，同じ問題が繰り返して出題されることが多いので，必ず過去に出題された問題は解答できるようにしてください。

 法規については，建設業法を中心に勉強しましょう。

　法規は**建設業法が必ず出題**され，その他，労働安全衛生法や建築基準法施行令など他の法令を含め，合計3問が出題されています。まずは建設業法の

勉強をしてください。出題形式は，ここも新検定制度からマークシート方式
四肢一択問題となっています。巻末の出題例 問題4を参照してください。出
題される条文は過去問からの出題が多く，**本書の** 要点の整理と理解 **に
ある条文を中心に重要語句・数値を暗記してください。**

施工経験記述以外に2問程度を確実に点数にしましょう。

　施工経験記述の問題以外に2問程度の大問を解答すれば合格ラインに到達
するので，施工経験記述とバーチャート工程表，建築工事に関する用語に重
点をおいて勉強することを推奨します。特に，バーチャート工程表は確実に
点数にしましょう。

経験記述は，自分の言葉で解答例をつくりましょう。

　経験記述は，問題を解きながら 要点の整理と理解 を参考に，独自の
解答例を記述して整理してください。必ず鉛筆で記述することが最も大切で
す。記述を繰り返すことによって理解が深まり，合格に近づきます。

巻末に 新検定制度問題 出題例と解答例を掲載しています。

　付録として，巻末に新検定制度問題の出題例と解答例を載せています。
　問題4，問題5はマークシート方式，四肢一択式に変わりましたので，出
題形式を参考にしてください。
　バーチャート工程表の問題も演習問題として活用してください。

受験案内

1．2級建築施工管理技士とそのメリット

近年の複雑化する建築物を的確にかつ安全に施工するためには，多くの優れた技術者が必要です。

建築業界には，そのための資格が多々ありますが，その中でも特に建築工事における施工技術の向上に重点をおいた資格が**建築施工管理技士**です。こうした背景のもと，建設業法に基づき**建築施工管理技術検定**が実施され，昭和58年度から**2級試験**が，昭和59年度から**1級試験**が実施されました。ここ数年，世代交代による技術者不足により，国家資格の資格としては年々必要とされています。

本試験は，国土交通省より指定を受けた**（一財）建設業振興基金が行う国家資格**です。「**第一次検定**」と「**第二次検定**」から構成されています。「**第一次検定**」は，基礎的知識・能力のマークシート方式による**択一試験**であり，「**第二次検定**」は，現場経験に基づく**記述試験**が主体で，その他受検種別に応じた施工管理法についてのマークシートによる四肢一択式の問題が出題されます。なお，第一次検定合格者には「技士補」，第二次検定の合格者には「技士」の称号が付与されます。

建築施工管理技士の資格を取得することは，その人の技術能力が客観的な形で保証されたことになり，社会においても企業においても，有能な技術者と認められます。2級施工管理技士には，主に次のメリットがあります。

- 一般建設業において，「営業所に置く専任の技術者」および「**主任技術者**」になることができます。特に公共工事においては，適正な施工を確保する為，現場に配置しなければならない**主任技術者の専任**が求められています。
- 一般建設業の許可を受ける場合の**1つの要件**です。
- **経営事項審査における2級技術者**となります。経営事項審査の技術力項目で，2級技術者として2点の基礎点数が配点されます。
- 1級受検に必要な実務経験を積む前に1級第一次検定の受検が可能です。

2．受検資格

(1) 第一次検定のみの受検

・試験実施年度において満17歳以上となる方（実務経験は不要）

【注意】すでに2級建築施工管理の第一次検定（学科試験）合格者となっており，有効期間内にある方は，再度，第一次検定のみ受検への申し込みはできません。受検申込を行った段階で，有効期間内にある第一次検定（学科試験）の合格は無効となります。

(2) 第一次・第二次検定の受検

概略，次表に示すような学歴又は資格，および実務経験年数が必要とされます。**詳細の具体的な認定（受検種別，学歴要件，実務経験要件）**について，不明な点など詳しく知りたい場合は，実施機関である<u>（一財）建設業振興基金</u>へお問い合わせ下さい。

●第一次・第二次検定の受検資格（区分イ～ロの1つに該当する方）

区分	受検種別	最終学歴	実務経験年数	
			指定学科卒業	指定学科卒業以外卒業
イ	建築・躯体・仕上げ	大学・専門学校の「高度専門士」	卒業後1年以上	卒業後1年6ヶ月以上
		短期大学・5年制高等専門学校専門学校の「専門士」	卒業後2年以上	卒業後3年以上
		高等学校専門学校の「専門課程」	卒業後3年以上	卒業後4年6ヶ月以上
		その他（最終学歴を問わず）	8年以上	
ロ	受検種別	職業能力開発促進法による技能検定		必要な実務経験年数
		技能検定職種	級別	

躯体	鉄工（構造物鉄工作業），とび，ブロック建築，型枠施工，鉄筋施工（鉄筋組立て作業），鉄筋組立て，コンクリート圧送施工，エーエルシーパネル施工	1級	問いません
		2級	4年以上
	平成15年度以前に上記の検定職種に合格した者		問いません
	単一等級エーエルシーパネル施工		問いません
仕上げ	建築板金（内外装板金作業），石材施工(石張り作業)，石工(石張り作業)，建築大工，左官，タイル張り，畳製作，防水施工，内装仕上げ施工（プラスチック系床仕上げ工事作業，カーペット系床仕上げ工事作業，鋼製下地工事作業，ボード仕上げ工事作業），床仕上げ施工，天井仕上げ施工，スレート施工，熱絶縁施工，カーテンウォール施工，サッシ施工，ガラス施工，表装（壁装作業），塗装（建築塗装作業），れんが積み	1級	問いません
		2級	4年以上
	平成15年度以前に上記の検定職種に合格した者		問いません
	単一等級れんが積み		問いません

※実務経験年数の基準日については，受検年度第一次検定の前日までで計算してください。

（3）第二次検定のみ受検

　次にあげる①～③のいずれかに該当し「第一次・第二次検定」の同日受検資格を有する者は，第一次検定免除で第二次検定のみ受検申込が可能です。

①　建築士法による一級建築士試験の合格者

②　（令和２年度までの）２級建築施工管理技術検定試験の「学科試験のみ」受検の合格者で有効期間内の者（該当者の有効期間等の詳細は，試験機関で確認してください）

③　２級建築施工管理技術検定の「第一次検定」合格者

3．申込に必要な書類

① 受検申請書

② 住民票（住民票コードを記入した場合は不要）

③ パスポート用証明写真１枚

④ 受検料の振替払込受付証明書

⑤ 資格証明書（技能検定合格証明書，免許証明書等）の写し

⑥ 卒業証明書（原本）

（注）・①～④は，受検申込者全員が提出するものです。

　　　・⑤～⑥は，受検資格区分イ～ロに応じた提出書類です。

　なお，**再受検申込者**は，「受検票」，「不合格通知」，「受検証明書」のいずれかの原本を添付すれば，提出書類の一部（実務経験証明書，住民票，資格証明書，卒業証明書等）を省略できる場合があります。

4. 建築施工管理に関する実務経験

●実務経験として認められる工事種別（業種）・工事内容・受検種別

主な工事種別 （業種）	主な工事内容		受検種別
●建築一式工事	・事務所ビル建築工事 ・一般住宅建築工事等 ・建築物解体工事（総合的な企画，指導，調整のもとに建築物を解体する工事）等	・共同住宅建築工事	建　築
●大工工事 　（躯体） ●型枠工事 ●とび・土工・ 　コンクリート 　工事 ●鋼構造物工事 ●鉄筋工事 ●ブロック工事	・大工工事（躯体） ・型枠工事 ・足場仮設工事 ・囲障工事 ・コンクリート工事 ・鉄骨工事 ・ガス圧接工事 ・コンクリートブロック積み工事　　等	・とび工事 ・建築物解体工事 ・（PC，RC，鋼）杭工事 ・地盤改良工事 ・屋外広告工事 ・鉄筋加工組立工事	躯　体
●造作工事 ●左官工事 ●石工事 ●屋根工事 ●タイル・レン 　ガ工事 ●板金工事 ●ガラス工事 ●塗装工事 ●防水工事 ●内装仕上工事 ●建具工事 ●熱絶縁工事	・造作工事 ・レンガ積み工事 ・ALC パネル工事 ・サイディング工事 ・左官工事 ・モルタル工事 ・吹き付け工事 ・とぎ出し工事 ・洗い出し工事 ・石積み（張り）工事 ・エクステリア工事 ・屋根葺き工事 ・建築板金工事 ・ガラス加工取り付け工事 ・塗装工事 ・アスファルト防水工事 ・モルタル防水工事	・塗膜防水工事 ・シート防水工事 ・注入防水工事 ・インテリア工事 ・天井仕上工事 ・壁張り工事 ・内部間仕切り壁工事 ・床仕上工事 ・畳工事 ・ふすま工事 ・家具工事 ・防音工事 ・金属製建具取付工事 ・サッシ取付工事 ・金属製カーテンウォール取付工事 ・シャッター取付工事	仕上げ

・シーリング工事	・木製建具取付工事
	・建築断熱工事　　等

●実務経験として認められる従事した立場

●施工管理	請負者の立場での現場管理業務（工事施工を含む）
●設計監理	設計者の立場での工事監理業務
●施工監督	発注者の立場での工事監理業務

5．第一次検定の内容

① 第一次検定は，**マークシートによる四肢一択式，及び四肢二択式**で出題され，午前に実施されます。

② 過去の出題内容と出題数は下記のとおりで，選択問題と必須問題に分かれています。なお，**選択問題は，解答数が指定解答数を超えた場合，減点となりますから注意してください。**

区　分	細　分		出題数	解答数
建築学等	建築学		14	9
	建築設備・外構関連		3	3
施工管理法	施工共通（躯体）	（知識）	11	8
	施工共通（仕上げ）			
	施工管理		10	10
	施工共通（躯体）	（応用能力）	4	4
	施工共通（仕上げ）			
法　規	法規		8	6
合　計			50	40

令和3年度の試験からは，施工管理法の応用能力問題について**マークシートによる四肢二択式の問題**が出題されています。

6．第二次検定の内容

① 第二次検定は，施工管理法についての**記述式による筆記試験**と**マークシートによる四肢一択式の試験**が午後に実施されます。

② 内容は，下記の分類にしたがって出題されています。

問題番号	出題内容
問題1	施工経験記述（施工計画，品質管理，工程管理のうち1問）
問題2	建築工事に関する用語（14個の中から5つを選択）
問題3	工程表に関する問題（バーチャート工程表，ネットワーク手法）
問題4	法規に関する問題（建設業法，建築基準法施行令などから計3問）
問題5－A	建築受検の選択問題（躯体4問，仕上げ4問の計8問）
問題5－B	躯体受検の選択問題（躯体大問4問で解答数8箇所）
問題5－C	仕上げ受検の選択問題（仕上げ大問4問で解答数8箇所）

令和3年度の試験からは，問題4と受検種別問題5については**マークシートによる四肢一択式の問題**が出題されています。

7．試験日時

第二次検定は毎年1回全国各都市において実施されます。試験日時等の詳細については，試験実施機関までお問い合わせ下さい。

［試験実施機関］

一般財団法人建設業振興基金　試験研修本部

(http://www.fcip-shiken.jp/)

〒105－0001

東京都港区虎ノ門4丁目2番12号　虎ノ門4丁目MTビル2号館

TEL：03-5473-1581　FAX：03-5473-1592

［受付期間］

第１回（第一次検定）：２月上旬から４週間（第一次検定のみ年２回に）

第２回（第一次検定・第二次検定）：７月上旬から２週間

> ※**第一次検定免除者の受付期間**については，必ず
> 早めに各自でご確認ください。

「第一次・第二次検定試験」「第一次検定のみ試験」「第二次検定のみ試験」
のどれかで申し込みます。

［試験日時］

第１回（第一次検定）：毎年６月第２日曜日（第１回は第一次検定のみ）

第２回（第一次検定・第二次検定）：11月第４日曜日

・第一次検定：10時15分〜12時45分（150分）

・第二次検定：14時15分〜16時15分（120分）

［試験地］

札幌，青森，仙台，東京，新潟，金沢，名古屋，大阪，広島，高松，福
岡，鹿児島，沖縄（会場確保の都合上，周辺都市で実施する場合があり
ます。）

※第一次検定のみ受検の学生を対象（学校申込）に，上記に加え，帯広，
盛岡，秋田，長野，出雲，倉敷，高知，長崎でも開催します。

なお，受験申込書の取扱先は，申込受付開始の約２週間前から，「一般財
団法人建設業振興基金　試験研修本部」のほか，下記の取扱先で販売してい
ます。

名　称	住　所	電話番号
（一財）北海道開発協会	〒001－0011 札幌市北区北11条西２丁目 セントラル札幌北ビル１F	001－709－5212
（一社）東北地域づくり協会	〒980－0871 仙台市青葉区八幡１－４－16 公益ビル	022－268－4192
（一社）公共建築協会	〒104－0033 東京都中央区新川１－24－8 東熱新川ビル６F	03－3523－0381
（一社）関東地域づくり協会	〒101－0042 東京都千代田区神田東松下町 45番地 神田金子ビル７F	03－3254－3195
（一社）北陸地域づくり協会	〒950－0197 新潟市江南区亀田工業団地 ２－３－４	025－381－1301
（一社）中部地域づくり協会	〒460－8575 名古屋市中区丸の内３－５－10 名古屋丸の内ビル８F	052－962－9086
（一社）近畿建設協会	〒540－6591 大阪市中央区大手前１－７－31 OMM ビル B１F	06－6947－0121
（一社）中国建設弘済会	〒730－0013 広島市中区八丁堀15－10 セントラルビル４F	082－502－6934
（一社）四国クリエイト協会	〒760－0066 高松市福岡町３－11－22 建設クリエイトビル	087－822－1657
（一社）九州地域づくり協会	〒812－0013 福岡市博多区博多駅東 ２－５－19 サンライフ第３ビル４F	092－481－3784

名　称	住　所	電話番号
（一社）沖縄県建設業協会	〒901－2131 浦添市牧港５－６－８ 沖縄建設会館２Ｆ	098－876－5211

※名称，住所等は，変更する場合がありますので，本部のホームページ等で
　確認してください。

8．合格発表と合格基準点

　合格発表は，発表日に試験機関である（一財）建設業振興基金から本人あ
てに合否の通知が発送されます。

　また，国土交通省各地方整備局，北海道開発局，内閣府沖縄総合事務局に，
当該地区で受検した合格者の受検番号が掲示され，（一財）建設業振興基金
では，全地区の合格者番号を閲覧できるほか，**（一財）建設業振興基金ホー
ムページに発表日から２週間，合格者の受検番号が公表されます。また試験
日の翌日から１年間，試験問題等の公表も行われます。**

［合格発表日］　翌年２月上旬

［合格基準点］

　第一次検定及び第二次検定の別に応じて，次の基準以上が合格となりま
すが，試験の実地状況等を踏まえ，変更する可能性はあります。

　・第一次検定：得点が60％以上

　・第二次検定：得点が60％以上

　なお，合格率は，第一次検定が45％前後，第二次検定が33％前後で，最終
合格率は15％前後です。

※受験案内の内容は変更することがありますので，
　必ず早めに各自でご確認ください。

※令和6年度以降,「第二次検定については受検者
　の経験に基づく解答を求める設問に関し,自身
　の経験に基づかない解答を防ぐ観点から,設問
　の見直しを行う」と公表されています。

第 1 章
経験記述の記述方法

1 経験記述の要点と工事概要の注意点

要点の整理と理解 📝

1 施工経験記述の要点

① 施工経験記述は，建築工事現場での**実務経験の有無**と**的確な表現力**等を判断する目的で出題されます。

② **記述の流れ**： 出題された管理項目 → 留意した内容・理由 → 対策・処置

③ 建築物の施工とは直接関連のない工事は記述しないほうがよいです。

④ 事前準備として，現場での流れを思い出しながら 要点の整理と理解 📝 を**箇条書きにまとめておく**とよいです。

文章が苦手な人は，参考例からオリジナルの文章をつくるとよいです。

2 記述に当たっての心構え

① 文章は読みやすさを考えて，**文字はゆっくり，丁寧に書いてください。**
薄い文字，小さい文字，続け字などは読みづらいので注意してください。

読めない文章は，読んでもらえないです。

② **現場を監督する立場**から実務経験の内容を記述してください。また，現場での日常的な内容をイメージしながら記述すると書きやすいです。特に参考例を引用する場合，イメージできない内容は避けたほうがよいです。

③ 表現力も大切ですので，幼稚な文章や口語体（普段しゃべっている言葉）は避けたほうがよいです。**減点になる要素をつくらないように心掛けてください。**

記述後は，読み返して内容を確認しましょう。

3 工事概要（共通の記述事項）の注意点

「経験した**建築工事**」と「受験種別に係る工事」についての注意

① 経験した建築工事なので，**現在進行中の工事は記述しないで下さい。**
なお，あまり古い工事は，内容を記憶していないことも多々あるので避けたほうがよいです。過去5年間ぐらいの建築工事を推奨します。

② 受験種別に係る工事なので，**受験種別以外の工事は書かないように**してください。

記述する工事は，受験種別に注意して，過去5年間程度の工事がよいです。

イ．工事名

① **建築工事以外の工事**と判断される工事名は書かない方がよいです。

② **建物用途**や**工事内容**との整合性に注意して工事名を書いてください。

③ 実在した建築工事で，**建物名称のわかる固有名称**を用いて，具体的に工事名を書いてください。

④ 工事等の具体的な**新築，増築，改修**などの記述も忘れないように注意してください。

⑤ 「○○邸外壁塗装工事」，「○○本社ビル建具改修工事」など，工事内容を限定することは避けたほうがよいです。

┌─── 記述例（○○には，固有名詞を用いる） ───┐

・（仮称）○○マンション新築工事 ・○○本社ビル改修工事

・（仮称）○○町ビル増築工事 ・○○邸新築工事

・○○工場事務所棟新築工事 ・○○様店舗付住宅新築工事

└──────────────────────────┘

ロ．工事場所

① 実例としてあげる建築工事が行われた場所の都道府県名，市郡字名，区町村名を記述してください。なお，**都道府県名から町名，番地まで記述**することが望ましいです。

② 工事場所から**地域特性，自然環境，市街環境**などが判断されます。実例としてあげる**記述内容との整合性**には十分注意してください。

┌─── 記述例（○○には，固有名詞・数値を用いる） ───┐

・大阪府大阪市中央区○○町○丁目○○番地

・東京都千代田区○○町○丁目　○−○○

・○○県○群○○町字　○○番地

└──────────────────────────┘

① 指定された内容のものは必ず記述してください。また，工事の内容から，採点者は，どのような建物でどのような工事かを読み取ります。**内容の不備は，設問の記述内容が採点できない場合がある**ので，特に注意してください。

工事概要の不備は，合否に影響します。事前に確認申請書などの資料を参考にしてまとめておくとよいです。

[新築等の場合]

① **建物用途：**

事務所，共同住宅，戸建て住宅，工場など，具体的な用途名を記述してください。**特に工事名との整合性には注意してください。**

② **構造：**

鉄骨鉄筋コンクリート造，鉄筋コンクリート造，鉄骨造，木造，鉄筋コンクリート造一部鉄骨造など，具体的な構造名を記述してください。

③ **階数：**

地上 7 階建地下 1 階，地上 7 階建塔屋 1 階，地上 3 階建など，具体的な階数を記述してください。**階数から延べ面積，施工数量，工期との整合性が判断されるので注意してください。**

④ **延べ面積：**

「延べ面積○○㎡」と記述します。**構造，階数，工期との妥当性が判断されます。**なお，指定がなければそれ以外の面積，例えば建築面積などは記述しないほうがよいです。

⑤ **主な外部仕上げ：**

「外壁タイル張り」，「外壁吹付けタイル仕上げ」など，**主な外壁面の**

仕上げを記述してください。なお，設問の記述内容で，屋上（屋根）が
関連する場合は記述しておくほうがよいです。

⑥　主要室の内部仕上げ：
　　　主要室名，及び床，壁，天井の仕上げを記述してください。
「（事務室）床：塩化ビニルタイル張り，壁：ビニルクロス張り，天井：
化粧石膏ボード張り」と記述すればよいです。

工事内容の項目は記述する内容が多いの
で，設問との関連性や項目の記述不足に
特に注意してください。記述後は，読み
返してチェックするように。

```
┌─────── 記 述 例 ───────┐

ハ．工事内容　事務所，鉄骨造，地上3階建て，延べ面積：323.5m²
　　　　　　　外壁：ＡＬＣパネルの上吹付けタイル仕上げ
　　　　　　　内部：事務室，床）塩化ビニルタイル張り，
　　　　　　　　　　壁）ビニルクロス張り，天井）化粧石膏ボード張り
```

[改修等の場合]
①　建物用途，建物規模：
　　　新築等の場合と同様に記述してください。改修内容が記述されていて
　も建物用途や規模が不明であると，採点されない場合があります。

②　主な改修内容，施工数量：
　　　「屋上防水改修○○㎡」，「外壁改修○○㎡」，「外部建具改修○○㎡」
　など，内容と規模（数量）がわかるように具体的に記述してください。

┌─ 記 述 例 ─┐

ハ．工事内容　事務所，鉄骨造，地上3階建て，延べ面積：323.5m²

　　　　　　　屋上防水改修：109.2m²　外壁吹付けタイル改修：435.6m²

　　　　　　　内部事務室，便所改修：床面積218.4m²

二．工期（年号又は西暦で年月日まで記入）

① 　工期は，**建物の規模として適切な工期**かどうか判定されます。

② 　**突貫工事は避けた**ほうがよく，季節，天候などの自然環境や地域特性
　 に注意してください。

③ 　「令和○○年○○月着工〜令和○○年○○月竣工（工期○○ヶ月）」な
　 ど，具体的に**過去の工事を記述**してください。

工期は，概ね「階数＋3ヶ月」
程度を目安に。

┌─ 記述例（○○には，数値を用いる）─┐

・令和○○年○○月着工〜令和○○年○○月竣工（工期○○ヶ月）

・○○○○年○○月着工〜○○○○年○○月竣工（工期○○ヶ月）

① あなたの立場は，経験した工事における**現場での立場**を記述してください。概ね**指導的な立場であること**が認識できるほうがよいです。

┌─────── 記 述 例 ───────┐
・現場代理人　　・工事主任　　・現場監督　　・現場所長　など
└──────────────────────┘

「代表取締役」，「課長」，「現場員」，
「職人」などは，よくない例です。

ヘ．業務内容

① 業務内容は，**施工管理に関連する内容**を記述します。この試験は，あくまで施工管理技術者の試験ですので，「施工管理業務全般」と記述すればよいです。

② 受験種別を判断するのであれば，「躯体工事における施工管理業務全般」はよいですが，「鉄筋工事における施工管理業務全般」など，工事を限定すると，その工事の内容のみの記述となるので注意してください。

「塗装業」，「大工」，「左官」など，
職業の記述は，よくない例です。

ト．まとめ（参考例）

新築工事の場合の参考例

[工事概要]

イ．工　事　名　(仮称）○○町ビル新築工事

ロ．工　事　場　所　○○県○○市○○町○○番地

ハ．工事の内容　事務所，鉄骨造，地上 3 階建て，延べ面積：323.5m²

外壁：ACL パネルの上吹付けタイル仕上げ

内部：事務室，床）塩化ビニルタイル張り，壁）ビニルクロス

張り，天井）化粧石膏ボード張り

ニ．工　　　　　期　令和○○年○○月着工〜令和○○年○○月竣工（工期○○ヶ月）

ホ．あなたの立場　現場代理人

ヘ．業　務　内　容　施工管理業務全般

改修工事の場合の参考例

[工事概要]

イ．工　事　名　○○本社ビル改修工事

ロ．工　事　場　所　○○県○○市○○町○−○○

ハ．工事の内容　事務所，鉄骨造，地上 3 階建て，延べ面積：323.5m²

屋上防水改修：109.2m²　外壁吹付けタイル改修：435.6m²

内部事務室，便所改修：床面積218.4m²

ニ．工　　　　　期　令和○○年○○月着工〜令和○○年○○月竣工（工期○○ヶ月）

ホ．あなたの立場　工事主任

ヘ．業　務　内　容　施工管理業務全般

第 2 章
施工経験記述

1 施工計画

要点の整理と理解 📝

1 施工にあたり事前に検討したこと

理解しよう!

●項目別の主な施工計画

項　目	検討・実施内容	理　由
施工方法・作業手順	打込み手順，作業員の配置等を事前の計画で検討する。	コンクリート工事の打込みや締固めを適切に行うため。
	施工精度，原寸図等のチェックを確実に行う。	意匠的に複雑な建物で精度の低下が生じる恐れがあったため。
	額縁を一体とした建具枠をセット加工する。	現場での作業が軽減でき，全体的な作業能率の向上となるため。
資材の搬入・荷揚げ	トラックからそのまま荷取りして建て方を行う。	材料置場の確保が難しく，作業能率が低下する恐れがあったため。
	品質，数量，搬入時間等を事前に確認する。	資材の搬入の不具合が，後の工程に影響を与えるため。
	工事車両の搬入ルートや待機場所を検討する。	前面道路が狭く，作業能率が低下する恐れがあったため。
資材の保管・仮置き	板ガラスの仮置きは，縦置きとし，ロープで固定する。	振動等による破損や転倒を防止するため。
	壁紙張りの巻いた材料は立てて保管する。	横にすると，くせがつく場合があるので。
	木造軸組材は，建て方順序を考慮して仮置きする。	建て方作業を効率化するため。
	相当なボリュームの資材は，作業状況を確認し，室内ごとに保管する。	施工の進捗状況に伴い，仮置き場所を指定することが効率的なため。

項　目	検討・実施内容	理　由
作業床・足場の設置	高所の天井・壁工事を行うため、中間に作業足場を設置する。	高所での作業となり、転落の恐れがあったため。
	作業床となるスラブ型枠の組立て状況を確認する。	コンクリート打込み時に型枠が崩壊しないようにするため。
	足場下の地盤をすきとり、転圧後にコンクリートを打設する。	足場の水平精度が悪い場合、変形が生じて、崩壊する恐れがあるため。
養生の方法	タイル張りのモルタル下地施工後、シートで養生する。	雨水の混入によって、タイルがはく離する恐れがあったため。
	鉄骨のアンカーボルトは、コンクリート打設後、丈夫な木製枠等で養生する。	埋戻し作業によって、損傷する恐れがあったため。
	木製床材の施工後は、ビニル張りの上にベニヤ板で養生する。	他の作業により、傷がつくのを防ぐ必要があったため。
試験・検査	防水下地の平坦性を目視で検査する。	下地の状態が不十分な場合、適切な防水性能が確保できないため。
	建入れ検査は、トランシットと下げ振りで小ブロックごとに検査する。	建て方の精度を十分確保するため。
	搬入木材の含水率の測定は、現場で高周波水分計を用いて確認する。	木材の乾燥が不十分な場合、ひずみや割れが生じる恐れがあるため。
	塗材仕上げの所要量の検査は、単位面積当たりの使用量をもとに確認する。	所要量が少なく塗膜が不十分になると、適切な性能が確保できないため。
関連工事との調整	建具図、設備関係図等の承認が遅れないようにする。	鉄骨の工場製作と建て方に遅れが生じないようにするため
	見本品を早期に提出させ、使用材料の承認が遅れないようにする。	作業前の確認照合が不十分な場合、関連工事に遅れが生じるため。
	ユニットバスの製作に遅れが生じないようにする。	ユニットバスの取付けが遅れた場合、内装工事に遅れが生じるため。

試験によく出る問題 📋

問題1

　あなたが経験した**建築工事**のうち，あなたの受検種別に係る工事の中から，事前に施工の計画を行った工事を1つ選び，下記の工事概要を具体的に記入した上で，次の問いに答えなさい。

　なお，**建築工事**とは，建築基準法に定める建築物に係る工事とする。ただし，建築設備工事を除く。

〔工事概要〕

　イ．工　事　名

　ロ．工　事　場　所

　ハ．工　事　の　内　容 ⎧ 新築等の場合：建築用途，構造，階数，延べ面積又は施工数量 ⎫
　　　　　　　　　　　　　　　　　　　　　　　　主な外部仕上げ，主要室の内部仕上げ
　　　　　　　　　　　　⎩ 改修等の場合：建築用途，主な改修内容，施工数量又は建物規模 ⎭

　ニ．工　　　　　期　（年号又は西暦で年月まで記入）

　ホ．あなたの立場

　ヘ．業　務　内　容

　1．工事概要であげた工事で，あなたが担当した工種において，施工にあたり事前に検討したことを次の項目の中から**3つ選び**，**事前に検討し実際に行ったこと**と何故そうしたのか**その理由**を，**工種名**をあげて，それぞれについて具体的に記述しなさい。

　　　なお，工種名については，同一の工種名でなくてもよい。

　　　ただし，「事前に検討し実際に行ったこと」の記述内容が，同一のもの及びコストについてのみ記述したものは不可とする。

〔項目〕「施工方法」
　　　　「資材の搬入又は仮置きの方法」
　　　　「資材の揚重の方法」
　　　　「作業床又は足場の設置」

「施工中又は施工後の養生の方法」（労働者の安全に関する養生を除く。）
「試験又は検査の方法と実施の時期」
「他の関連工事との調整」

2．工事概要であげた工事及び受検種別にかかわらず，あなたの今日までの工事経験に照らして，事前に検討し計画した施工方法や作業手順を作業員に周知徹底するためには，どのようにしたらよいと考えるか，**周知徹底するための方法**と実行されているか**確認する方法**について，**工種名**又は**作業名**をあげて**2つ**具体的に記述しなさい。

　　ただし，それぞれの解答は異なる内容の記述とする。

1．**受験種別に応じた内容**を 3 つ記述してください。

(1)	選んだ項目	施工方法	工種名	コンクリート工事
	事前に検討し実際に行ったこと	各階のコンクリート打設に先立ち，打込み手順，作業動線，作業員の配置，養生等を事前の計画で検討した。		
	その理由	コンクリート工事の打込みや締固めは，制約された時間内に適切に行う必要があるため。		
(2)	選んだ項目	資材の搬入又は仮置きの方法	工種名	鉄筋工事
	事前に検討し実際に行ったこと	鉄筋材料の搬入において，品質，数量，搬入時間等を事前に確認してから搬入した。		
	その理由	資材の搬入時点で不具合が見つかると，鉄筋作業が遅れるばかりでなく，後の工程にも影響を与えるため。		
(3)	選んだ項目	資材の揚重の方法	工種名	鉄骨工事
	事前に検討し実際に行ったこと	鉄骨の建て方に使用する鉄骨材料は，トラックからそのまま荷取りして，順次建て方作業を行った。		
	その理由	敷地が狭いので材料置場の確保が難しく，作業能率が低下する恐れがあったため。		

(4)	選んだ項目	作業床又は足場の設置	工種名	塗装工事
	事前に検討し実際に行ったこと	外壁の塗装工事に使用する足場は，足場下の地盤をすきとり，転圧後にコンクリートを打設する計画とした。		
	その理由	軟弱な地盤の敷地であり，足場の水平精度が悪いと全体的に足場が変形して崩壊する恐れがあったため。		

(5)	選んだ項目	施工中又は施工後の養生の方法	工種名	タイル工事
	事前に検討し実際に行ったこと	外壁タイル張りのモルタル下地の施工中，天候の悪化や日射による急激な乾燥を避けるため，足場の最上部と側面をシートで養生した。		
	その理由	施工中に雨が降るとモルタル下地に雨水が混入し，タイルがはく離する原因となるため。		

(6)	選んだ項目	試験又は検査の方法と実施の時期	工種名	内装工事
	事前に検討し実際に行ったこと	内装に使用する造作材の含水率の測定は，工事現場で高周波水分計を用いて確認した。		
	その理由	下地木材の乾燥が不十分な場合，ひずみや割れが生じる恐れがあり，後工程の仕上げに影響するため。		

(7)	選んだ項目	他の関連工事との調整	工種名	内装工事
	事前に検討し実際に行ったこと	内装仕上げ材の見本品を早期に提出させ，発注者と十分な打合せの上，使用材料の承認が遅れないようにした。		
	その理由	仕上げ材料の確認照合が不十分な場合，下地工事に遅れが生じる恐れがあるため。		

2．**受験種別に関係なく**記述することができます。

(1)	工種名又は作業名	塗装工事
	周知徹底するための方法	作業員と協議しながら，塗装工事における塗装方法や作業手順に関する作業要領を作成することで周知徹底を図る。
	確認する方法	作業現場を巡回することにより，作業要領に基づいて作業しているかを確認する。
(2)	工種名又は作業名	外装パネル工事
	周知徹底するための方法	施工の現物見本を製作し，作業員との打ち合わせ時に確認させ，施工方法や作業手順を具体的に指示することで周知徹底を図る。
	確認する方法	各工程段階で，順次現場確認を行い，適切な基準を満たしているかを確認する。

「1」は，受験種別に応じた内容を記述してください。「2」は，受験種別に関係なく記述できます。

問題2

　あなたが経験した**建築工事**のうち，あなたの受検種別に係る工事の中から，施工の計画を行った工事を1つ選び，工事概要を記入した上で，次の問いに答えなさい。

　なお，**建築工事**とは，建築基準法に定める建築物に係る工事とする。ただし，建築設備工事を除く。

〔工事概要〕

イ．工　事　名

ロ．工　事　場　所

ハ．工事の内容
{ 新築等の場合：建築用途,構造,階数,延べ面積又は施工数量
　　　　　　　　主な外部仕上げ，主要室の内部仕上げ
改修等の場合：建築用途,主な改修内容,施工数量又は建物規模 }

ニ．工　　　　　期　（年号又は西暦で年月まで記入）

ホ．あなたの立場

ヘ．業　務　内　容

1．工事概要であげた工事で，あなたが事前に検討したことを次の項目の中から**3つ選び**，それぞれについて，**実際に検討し行ったこと**と何故そうしたのかその理由を，**工種名**をあげて具体的に記述しなさい。なお，工種名については，同一の工種名でなくてもよい。

　　ただし，「実際に検討し行ったこと」の記述内容が同一のもの，及びコストについてのみの記述は不可とする。

〔項目〕　「施工方法又は作業の方法」
　　　　　「資材の搬入又は荷揚げの方法」
　　　　　「資材の保管又は仮置きの方法」
　　　　　「作業床又は足場の設置」
　　　　　「施工中又は施工後の養生の仕方」（労働者の安全に関する養生を除く。）
　　　　　「試験又は検査の方法と時期」
　　　　　「他の関連工事との工程調整方法」

2．工事概要であげた工事及び受検種別にかかわらず，あなたの今日までの工事経験に照らして，次の項目の中から**2つ**選び，その項目について，工事の施工に当たり事前に考慮すべき**事項**とその**対応策**を，それぞれ具体的に記述しなさい。

ただし，それぞれの解答は異なる内容の記述とすること。

〔項目〕「工　程」
　　　　「品　質」
　　　　「安　全」
　　　　「環　境」

解答例

1．**受験種別に応じた内容**を3つ記述してください。

	選んだ項目	施工方法又は作業の方法	工種名	防水工事
(1)	事前に検討し実際に行ったこと	便所，厨房の防水工事おいて，施工期間と手間を削減するため，溶融アスファルトによる防水工法を改質アスファルトシート防水工法に変更した。		
	その理由	改質アスファルトシート防水は，裏面の改質アスファルトを溶融させる施工であり，溶融アスファルトの運搬や施工に手間がかからないため。		
(2)	選んだ項目	資材の搬入又は荷揚げ	工種名	建具工事
	事前に検討し実際に行ったこと	小物の建具を搬入する際には，あらかじめ工場でサッシにガラスをはめ込み，適切に養生して現場へ搬入した。		
	その理由	現場でのガラス取付け作業が軽減でき，全体的な作業能率の向上が図られるため。		

(3)	選んだ項目	資材の保管又は仮置きの方法	工種名	ガラス工事
	事前に検討し実際に行ったこと	板ガラスの仮置きは，屋内の床と壁にゴム板を挟んで立て置きとし，転倒防止のためロープで固定した。		
	その理由	振動等による破損の防止や転倒による事故の防止を考慮するため。		

(4)	選んだ項目	作業床又は足場の設置	工種名	内装工事
	事前に検討し実際に行ったこと	高所の天井・壁工事を行うため，中間に作業足場を設けた。移動式足場を4期組立て，中間を単管で根太を組み，全面に足場板を敷き詰めた。		
	その理由	天井張りと壁の内装工事は，高所での作業となり，作業員の転落の恐れがあったため。		

(5)	選んだ項目	施工中又は施工後の養生の仕方	工種名	鉄骨工事
	事前に検討し実際に行ったこと	鉄骨のアンカーボルトは，コンクリート打設後，丈夫な木製枠等で養生した。		
	その理由	基礎コンクリート完了後に行う埋戻し作業によって，アンカーボルトが損傷する恐れがあったため。		

(6)	選んだ項目	試験又は検査の方法と時期	工種名	防水工事
	事前に検討し実際に行ったこと	防水工事施工前に，防水下地の表面が平坦であるか，突起物等の障害が完全に除去されているかを目視検査によって確認した。		
	その理由	防水下地の施工状態が不十分な場合，適切な防水性能が確保できないため。		

(7)	選んだ項目	他の関連工事との工程調整方法	工種名	鉄骨工事
	事前に検討し実際に行ったこと	ALC パネル取付け図，建具図，設備関係図等の承認が遅れないようにした。		
	その理由	鉄骨部材の工場製作や，その後の建て方作業に遅れが生じないようにするため。		

項目別の主な施工計画の文章例を参考にして，文章を組み立てる練習をしてください。

2. **受験種別に関係なく，2つ記述してください。**

(1)	項　目	工程
	事前に考慮すべき事項	製作期間の要する製品や資材の発注が遅れないように工程計画を検討する。
	その対応策	製作開始までの工程について，関係者との打ち合わせを適切に行うとともに，施工図の作成や図面の承認が遅れないようにする。
(2)	項　目	品質
	事前に考慮すべき事項	下地の精度が仕上げ材の取付け精度に大きく影響するので，仕上げ施工前には下地精度の品質管理に重点をおく。
	その対応策	下地の状態を目視によって確認するとともに，下振りや水平器，スケールなどの器具を用いて確実な状態を確認する。

(3)	項　目	安全
	事前に考慮すべき事項	脚立作業中における脚立の転倒及び脚立からの墜落防止に留意する。
	その対応策	脚立の正しい使用方法の確認や安全点検を行うとともに，作業終了後は作業場内の清掃を確実に実施する。
(4)	項　目	環境
	事前に考慮すべき事項	地球温暖化対策の観点から，現場から発生する廃棄物をできるだけ少なくする。
	その対応策	大量の残材が発生しないように，発注段階から数量チェックを厳重に行うとともに，発生した廃棄物は分別管理を徹底し，適切に処理する。

問題3

　あなたが経験した**建築工事**（土木工事，設備工事等は含まない）のうち，あなたの受験種別にかかる工事を1つ選び，下記に示す工事概要を記入した上で，次の問いに答えなさい。

〔工事概要〕

イ．工　事　名

ロ．工　事　場　所

ハ．工事の内容 { 新築等の場合：建築用途，構造，階数，延べ面積又は施工数量　主な外部仕上げ，主要室の内部仕上げ　改修等の場合：建築用途，主な改修内容，施工数量又は建物規模 }

ニ．工　　　期　（年号又は西暦で年月まで記入）

ホ．あなたの立場

ヘ．あなたの具体的な業務内容

1．上記の工事概要であげた工事において，あなたが実際にかかわった工種名（鉄筋工事，左官工事等）をあげ，その工種における施工計画に関する下記の項目の中から**4つ**を選び，それぞれについて**実際に検討し行ったこと**と何故そうするのが良いと考えたのか**その理由**を，具体的に記述しなさい。

　　なお，工種名については，同一の工種名でなくてもよい。

〔項目〕

「施工方法又は作業手順」

「材料の搬入又は荷揚げの方法」

「材料の保管又は仮置きの方法」

「作業床や足場の設置方法」

「養生の方法」（労働者の安全に関する養生を除く。）

「試験又は検査の実施方法」

「他の関連工種との調整方法」

2．あなたの今日までの工事経験の内容にかかわらず，建築工事の現場において工事作業要領を作業員に徹底させるためにはどのようにしたら良いと考えるか，指導する**作業内容**を記述した上で，当該作業内容に関する**指導・監督の方法**と実行されているか**確認する方法**について具体的に記述しなさい。

44

解答例

1. **受験種別に応じた内容**を4つ記述してください。

(1)	選んだ項目	施工方法又は作業手順	工種名	鉄筋工事
	実際に検討し行ったこと	工期短縮を図って工期を守るために，ガス圧接継手を機械式継手に変更した。		
	その理由	機械式継手は風雨による影響を受けにくく，適切に工期が守れるため。		
(2)	選んだ項目	材料の搬入又は荷揚げの方法	工種名	型枠工事
	実際に検討し行ったこと	柱，梁の型枠は，可能な限り加工場で組立てをして現場に搬入した。		
	その理由	施工場所が狭く，現場での作業効率を向上させる必要があったため。		
(3)	選んだ項目	材料の保管又は仮置きの方法	工種名	内装工事
	実際に検討し行ったこと	相当なボリュームの木材は，作業状況を確認し，室内ごとに保管した。		
	その理由	施工の進捗状況に伴い，仮置き場所を指定することが効率的であるため。		
(4)	選んだ項目	作業床や足場の設置方法	工種名	塗装工事
	実際に検討し行ったこと	外部足場と建物のすき間をブラケット足場による水平養生するとともに，建物側の手すりの設置状況を確認した。		

第**2**章　施工経験記述

1　施工計画　　**45**

その理由	外部の吹付け作業時に，外部足場と建物のすき間からの墜落事故や落下事故を防止するため。	

	選んだ項目	養生の方法	工種名	コンクリート工事
(5)	実際に検討し行ったこと	コンクリート打込み後は散水による水分を供給し，5日以上湿潤な状態を保つとともに，振動・衝撃を与えないようにした。		
	その理由	打込み後のコンクリートの品質は，初期養生による影響が大きいため。		

	選んだ項目	試験又は検査の実施方法	工種名	鉄骨工事
(6)	実際に検討し行ったこと	鉄骨の建入れ検査は，トランシットと下振りを用いて，小ブロックごとに検査した。		
	その理由	鉄骨の建て方の精度を十分確保するとともに，建物全体の品質を向上させるため。		

	選んだ項目	他の関連工種との調整方法	工種名	コンクリート工事
(7)	実際に検討し行ったこと	コンクリートの打設日は，関連工種に事前に周知させるとともに，調整を重ねることによって十分検討した。		
	その理由	多くの工種と関連があるコンクリート工事は，その遅れが全体工期の遅れにつながるため。		

参考例を参照する場合は，イメージできる内容のものを優先してください。イメージできない内容は，記述を避けた方がよいです。

2. 工事作業要領は，工法や作業の手順，使用材料や機材，作業員の役割分担など，具体的に作業方法を定めたものです。この作業方法が適切であれば，施工品質が適切なものとなります。したがって，作業の着手前に工事作業要領を作業員へ周知徹底させることが重要です。

指導する作業内容	塗装工事における塗装工程，塗付け量の管理方法
指導・監督の方法	作業員と協議しながら作業要領を作成することで周知徹底する。
確認する方法	作業場所を巡回し，作業要領に基づいているかを確認する。

2 品質管理

要点の整理と理解

1 品質管理項目と定めた理由及び 実施した内容

理解しよう!

> 記述しようとする工事に応じた内容のものを選択して，自分の言葉でアレンジすると良いです。

●工種別の主な品質管理活動

工種	品質管理項目	定めた理由	実施した内容
土工事	支持地盤の状況確認	基礎の沈下や構造亀裂等が発生する恐れがあるため。	機械掘削後，支持地盤近くは人力による慎重な掘削を徹底した。
杭工事	支持層の確認	建物の沈下による重大な欠陥が生じるため。	土質調査の資料と掘削土の土質を照合して目視確認した。
杭工事	スライム処理の徹底		エアーリフトによる2次スライム処理を確実に行い，スライムがなくなったことを確認した。
鉄筋工事	鉄筋のかぶり厚さの確保	鉄筋のかぶり厚さの不足は，構造耐力の低下，耐火性・耐久性の不足となるため。	鉄筋，型枠，コンクリート工事の各工程において，目視とスケールによる実測管理によって確認した。

工種	品質管理項目	定めた理由	実施した内容
鉄筋工事	ガス圧接部端面の状態の管理	ガス圧接の品質の良否は，圧接端面の状態に左右されるため。	圧接端面の付着物は完全に除去し，グラインダーで可能な限り平坦に仕上げていることを確認した。
型枠工事	垂直のせき板の最小存置期間の確保	コンクリート躯体にひび割れや大きな欠陥を発生させる恐れがあるため。	温度，日数等を管理し，解体においては圧縮強度が5N／mm²以上であることを確認した。
型枠工事	型枠の垂直精度の確保	突付け部の目違い，倒れやはらみなどが生じて，表面の平滑性が損なわれるため。	足元の桟木の精度，セパレーターの割付，縦・横端太の間隔など締固め状況を目視確認した。
コンクリート工事	コンクリートの締固め状況の確認	締固めが密実でないと，豆板やコールドジョイントなどの不具合が発生するため。	打設前に型枠の水洗いを徹底し，締固め作業時にはコンクリートの流れと締り具合を確認した。
コンクリート工事	コンクリート打設後の養生管理	不十分な養生は，ひび割れや強度低下などの欠陥を発生させる恐れがあるため。	打設後5日間以上コンクリートの温度が2℃以上保つように，養生シート等による湿潤養生を行い，有害な振動を与えないように管理した。
鉄骨工事	鉄骨の建て方・組立て精度の向上	鉄骨の精度は，建物の構造品質だけでなく，後工程の仕上り精度などにも影響するため。	小ブロックに分けて建入れ直しを行い，各部の建て方が終わるごとに3次元測量により精度を確認した。
鉄骨工事	高力ボルト接合部の検査確認	高力ボルト接合部の欠陥の見逃しが構造的に重大な欠陥となるため。	共回り・軸回り，ボルトの余長，ピンテールの破断などを目視検査し，異常がないことを確認した。
防水工事	屋上防水工事における下地状況の確認	下地の不具合は，防水層の密着精度に影響し，亀裂や損傷が発生する恐れがあるため。	下地の乾燥状態は水分測定で，突起物や亀裂等は目視で行い，下地の乾燥と平滑度を確認した。

工種	品質管理項目	定めた理由	実施した内容
防水工事	防水シートの増張り，重ね幅の施工状況の確認	増張りや重ね幅の不具合が漏水を引き起こす要因となるため。	出隅と入隅部の増張り，縦横の重ね幅を，目視とスケールによる実測管理によって確認した。
石工事	引き金物，かすがい，ダボ等の取付け状況の確認	崩壊やずれを防止して，精度の良い石の積上がりを確保するため。	金物の寸法，径，深さ等，及び躯体との隙間を，目視とスケールによって完全な状態を確認した。
タイル工事	張付けモルタルの塗付け状況の確認	張付けモルタルの乾燥や塗付け不良が，タイルの浮きや剥離を起こす要因となるため。	張付けモルタルの塗置き時間を適切に管理し，張付けモルタルがタイル裏面全体に回っているかを目視で確認した。
	タイルの接着力の確認	外壁タイルの浮きや剥離が重大な事故を引き起こす要因となるため。	施工後2週間以上経過した時点で，全面打診検査と接着力試験を行い，完全な状態を確認した。
金属工事	軽量鉄骨壁下地の各部材の組立て状況の確認	各部材の組立てが確実でない場合，壁に振動やゆるみが生じて，仕上げボード等の精度にも影響するため。	各部材の組立て状況を，目視とスケールによって完全な状態を確認した。また，左右に揺らして固定が確実であることを確認した。
	軽量鉄骨天井下地における斜め補強材の取付け状況の確認	地震力を負担する斜め補強材の不具合によって，所定の耐力が得られず天井の脱落を引き起こす恐れがあるため。	斜め補強材が設計図書，計算書どおりに配置され，吊りボルトに確実に固定されていることを，目視とスケールによって確認した。
建具工事	建具枠の取付け精度の確認	建具枠の取付け精度の不良は，建具の開閉に支障が生じて漏水等の要因となるため。	垂直，水平精度は下振りと水平器で確認し，対辺長さを測定して誤差が適合範囲内であることを確認した。

工種	品質管理項目	定めた理由	実施した内容
左官工事	モルタル塗りにおける下地処理の状況を確認	下地処理の不良は，モルタルの浮きやひび割れの発生が起こる恐れがあるため。	下地のひずみや不陸を水洗いのうえモルタル補修し，その精度を下振りと水平器で確実な状態を確認した。
	モルタルの塗厚さの管理	モルタルの塗厚さが適切でないと，ひび割れ，浮き，剥離などが生じる恐れがあるため。	1回の塗厚さ，全塗厚さを，目視とスケールによって完全な状態を確認した。
塗装工事	鉄鋼面の素地ごしらえの処理状況の確認	鉄鋼面の素地ごしらえの不良は，錆や塗料の剥離，凸凹の発生等の要因となるため。	スクレーパー，溶剤，ディスクサンダー，研磨紙等で適切に処理後，平滑性と完全な状態を確認した。
	モルタル面の塗装下地における乾燥とアルカリ強度の管理	モルタルの含水率やアルカリ強度が高い場合，塗膜の不良が生じる恐れがあるため。	高周波水分計で含水率10%以下，pH 指示溶液で pH 9以下を確認し，素地ごしらえ後，品質を確認した。
内装工事	石こうボードGL工法における接着材の硬化時間と塗り間隔の管理	硬化時間の管理不足や接着材の不具合は，ボードに剥離や浮きが生じ，強度不足で精度が悪くなるため。	接着材の1度に練る量は，1時間以内に使い切れる量とし，塗り間隔を目視とスケールによって適切な状態であることを確認した。
	ビニル床シート張りにおけるシートの巻きぐせ除去の確認	巻きぐせによる剥がれは，溶接継目の接合や歩行性に不具合が生じるため。	施工に先立って20℃以上の室温にて敷き伸ばし，24時間以上放置して巻きぐせがないことを確認した。

問題4

あなたが経験した**建築工事**のうち，あなたの受検種別に係る工事の中から，品質管理を行った工事を1つ選び，工事概要を具体的に記入したうえで，次の1．から2．の問いに答えなさい。

なお，**建築工事**とは，建築基準法に定める建築物にかかる工事とし，建築設備工事を除くものとする。

〔工事概要〕

イ．工　事　名

ロ．工　事　場　所

ハ．工事の内容 { 新築等の場合：建築用途, 構造, 階数, 延べ面積又は施工数量 主な外部仕上げ，主要室の内部仕上げ
改修等の場合：建築用途, 主な改修内容, 施工数量又は建物規模 }

二．工　　　期　（年号又は西暦で年月まで記入）

ホ．あなたの立場

へ．あなたの具体的な業務内容

1．工事概要であげた工事で，あなたが実際に担当した工種において，その工事を施工するにあたり，施工の品質低下を防止するため，特に**留意したこと**と何故それに留意したのか**その理由**及びあなたが**実際に行った対策**を，**工種名**をあげて**3つ**具体的に記述しなさい。

ただし，「設計図どおり施工した。」など施工にあたり行ったことが具体的に記述されていないものや，品質以外の工程管理，安全管理などについての記述は不可とする。

なお，工種名については，同一の工種名でなくてもよい。

2．工事概要であげた工事及び受検種別にかかわらず，あなたの今日までの工事経験に照らして，品質の良い建物を造るために品質管理の担当者として，工事現場においてどのような品質管理を行ったらよいと考えるか，品質管理体制，手順又はツールなど**品質管理の方法**とそう**考える理由**を，２つ具体的に記述しなさい。

　　ただし，２つの解答はそれぞれ異なる内容の記述とし，また，上記１．の「実際に行った対策」と同じ内容の記述は不可とする。

1．品質管理の記述内容は，工事の機能や精度・寸法等が，設計図書に適合した品質になるように管理するものをいいます。

「留意したこと」を記述する場合は具体的な記述とする必要があり，例えば，「コンクリートの品質管理」や「鉄筋工事の品質管理」などの記述は，どのような品質管理か明確でないので不適切です。

「実際に行ったこと」も同様，作業方法・手順・段取りなど具体的に行った内容となるように記述します。

(1)	工 種 名	コンクリート工事
	留意したこと	コンクリートの締固め状況の確認に留意した。
	その理由	締固めが密実でないと豆板やコールドジョイントなどの不具合が発生し，表面精度が確保できないため。
	実際に行ったこと	打設前に型枠の水洗いを徹底し，締固め作業時にはコンクリートの流れと締り具合を確認した。
(2)	工 種 名	塗装工事
	留意したこと	鉄鋼面の素地ごしらえの処理状況の確認に留意した。
	その理由	鉄鋼面の素地ごしらえの不良は，塗装後の錆や塗料のはく離，凸凹の発生等の要因となるため。
	実際に行ったこと	スクレーパー，溶剤，ディスクサンダー，研磨紙等を用いて適切に処理した後，平坦性と完全な状態を確認した。
(3)	工 種 名	タイル工事
	留意したこと	張付けモルタルの塗付け状況の確認に留意した。

その理由	張付けモルタルの乾燥や張付け不良が，タイルの浮きや剥離を起こす要因となるため。	
実際に行ったこと	張付けモルタルの塗置き時間を適切に管理し，張付けモルタルがタイル裏面全体に回っているかを目視で確認した。	

品質管理項目（留意したこと）が不適切な場合は，理由や実際に行ったことが点数になりにくいです。

2．1つの工事に限定するのではなく，品質の良い建物を造るための一般的な内容がよいです。また，品質管理体制，手順又はツールなど具体的な品質管理の方法の記述を忘れないようにしてください。

(1)	品質管理の方法	作業方法や作業手順を明確に定めて施工するとともに，写真や記録を採取する。
	そう考える理由	施工データを記録することによって，その結果を次の現場でフィードバックし，それを繰り返すことが品質の向上につながると考えるため。
(2)	品質管理の方法	あらかじめ品質管理体制を明確にし，それぞれの管理目標を具体的に定める。
	そう考える理由	工種ごとに順次，品質管理体制に従って管理目標の達成を確認していくことで，適切にチェックが繰り返されて品質の向上につながるため。

第2章 施工経験記述

問題5

　あなたが経験した**建築工事**のうち,あなたの受検種別に係る工事の中から,品質管理を行った工事を1つ選び,下記の工事概要を具体的に記入した上で,次の問いに答えなさい。

　なお,**建築工事**とは,建築基準法に定める建築物に係る工事とする。ただし,建築設備工事を除く。

〔工事概要〕

イ．工　事　名

ロ．工　事　場　所

ハ．工事の内容　　　新築等の場合：建築用途,構造,階数,延べ面積又は施工数量

　　　　　　　　　　　　　　　　　主な外部仕上げ,主要室の内部仕上げ

　　　　　　　　　　改修等の場合：建築用途,主な改修内容,施工数量又は建物規模

ニ．工　　　　期　（年号又は西暦で年月まで記入）

ホ．あなたの立場

ヘ．あなたの具体的な業務内容

　1．工事概要であげた工事で,あなたが担当した工種において,その工事の担当者として品質確保のため,事前に検討し,特に**留意したこと**と何故それについて留意したのか**その理由**,留意したことに対してあなたが**実際に行ったこと**を,3つ具体的に,**工種名**をあげて記述しなさい。

　　　ただし,「設計図どおり施工した。」など施工上行ったことを具体的に記述していないものや,品質管理以外の工程管理,安全管理についての記述は不可とする。

　　　なお,工種名については,同一の工種名でなくてもよい。

　2．工事概要であげた工事及び受検種別にかかわらず,あなたの今日までの工事経験に照らして,品質管理の担当者として,品質の良い建物を造るためにはどのような品質管理を行ったらよいと考えるか,**品質管理の方法をそう考える理由**とともに,2つ具体的に記述しなさい。

　　　ただし,2つの解答はそれぞれ異なる内容の記述とし,また,上記1．の解答と同じ内容の記述は不可とする。

1. **受験種別に応じた内容**を 3 つ記述してください。

(1)	工 種 名	軽量鉄骨工事
	留意したこと	軽量鉄骨壁下地の各部材の組立て状況の確認に留意した。
	その理由	各部材の組立てが確実でない場合，壁に振動や緩みが生じて，仕上げボード等の精度にも影響するため。
	実際に行ったこと	各部材の組立て状況を，目視とスケールによって完全な状態であることを確認した。また，左右に揺らして固定が確実であることを確認した。
(2)	工 種 名	建具工事
	留意したこと	外部建具枠の取付け精度の確認に留意した。
	その理由	外部建具枠の取付け精度の不良は，建具の開閉に支障が生じて漏水等の要因となるため。
	実際に行ったこと	垂直，水平精度は下振りと水平器で確認し，対辺長さを測定して誤差が適合範囲内であることを確認した。
(3)	工 種 名	左官工事
	留意したこと	モルタルの塗厚さの管理に留意した。
	その理由	モルタルの塗厚さが適切でないと，ひび割れ，浮き，剥離などが生じる恐れがあるため。
	実際に行ったこと	1 回の塗厚さ，全塗厚さを，目視とスケールによって完全な状態であることを施工中の適切な時期に確認した。

品質管理の問題は,「仕上げ」と「下地」の2つの関係から考えると考えやすいです。

2．品質管理を行うには，品質管理に必要な業務分担，責任や権限を明確に文書化した組織づくりも重要となってきます。また，各種工事ごとに QC 工程表を作成し，適切な時期に検査・チェックする体制が不可欠です。

　　組織的な品質管理活動を行うことによる効果・結果においては，次のようなメリットが考えられます。

・品質のばらつきがなくなり，品質管理活動の合理化が図れる。
・顧客に対する信頼性が向上する。
・社会的な評価が向上する。
・継続的な受注，新規受注が拡大する。
・会社全体のスキルアップ，優秀な技術社員の育成につながる。

(1)	品質管理の方法	具体的な品質管理目標や各業者への役割分担を文書で明確化し，各工程において検査や記録をとる。
	そう考える理由	検査結果を分析して会社的に統一することで，品質のばらつきがなくなり，品質管理活動の合理化が図れるため。
(2)	品質管理の方法	設計図書や仕様書を熟読して，施工計画や各工種の施工要領書を事前に作成するとともに，それに基づいた施工を確実にする。
	そう考える理由	施工計画書や施工要領書を作成し，適切な時期に検査・チェックする体制が，品質の良い建物を造るためには不可欠であると考えるため。

3 　工程管理

要点の整理と理解 📝

1 工期を遅延させる主な要因

理解しよう！

> **工期を遅延させる主な要因**
>
> ・悪天候による工程への影響
>
> ・交通渋滞による作業量の低下
>
> ・発注者等の要望で，工期短縮が必要な場合
>
> ・不充分な事前調査による工程への影響
>
> ・予期せぬ障害物の発生により，一時施工が中止した場合
>
> ・作業順序や施工方法の変更による工程への影響
>
> ・工事作業時間の制約による工程への影響
>
> ・労務不足による工程への影響

2 工期を短縮するための合理化の方法

理解しよう！

● 工種別の主な合理化工法

工種	従来の施工	合理的に施工する場合
土工事・地業工事	水平切梁工法	地盤アンカー工法や集中切梁によって掘削作業の効率化を図る。
	砕石敷き	杭頭処理材後における処理材を砕石敷きに利用する。
	掘削残土の処理	埋戻しに必要な量を場内に仮置きし，埋戻し土として利用する。
鉄筋工事	鉄筋のガス圧接継手	雨天でも施工可能な機械式継手を採用する。
	従来の鉄筋組み	異形鉄筋の溶接金網を床や壁部材に使用する。鉄筋の先組み工法，地組み工法を採用する。

工種	従来の施工	合理的に施工する場合
型枠工事	基礎，地中梁の型枠	型枠の解体が不要なラス型枠を捨て型枠として採用する。
	従来の合板によるスラブ型枠	スラブの支柱が不要な鋼製デッキ型枠工法（フラットデッキスラブ，デッキプレートスラブ）を採用する。
コンクリート工事	従来のコンクリート工事	プレキャストコンクリート工法を採用する。
	コンクリート階段	鉄骨階段を採用する。
鉄骨工事	鉄骨建て方	鉄骨部材の地組みによって建て方作業の効率化を図る。本設階段を先行することによって建て方作業の効率化を図る。本締め用吊り足場金物を先付けする。
防水工事	アスファルト防水	改質アスファルトシート防水を採用する。
	防水立上り部の保護レンガ積み	防水立上り部の保護に乾式保護材を使用する。
	防水下地入隅のR面モルタル仕上げ	成形キャスト材を使用する。
石・タイル工事	湿式工法による壁の御影石張り	乾式工法による壁の御影石張りを採用する。
	改良圧着張りによる壁タイル張り	マスク張り工法を採用して作業の効率化を図る。
	改良積上げ張りによる壁タイル張り	接着剤張りへの変更によって作業の効率化を図る。
	従来の壁タイル張り	タイル打込みプレキャスト版を採用する。タイル型枠先付け工法を採用する。
金属屋根・工事	金属製屋根葺き材料の現場加工	現場計測後，屋根葺き材料をプレカット搬入することによって取付け作業の効率化を図る。

工種	従来の施工	合理的に施工する場合
屋根・金属工事	軽量鉄骨下地の現場加工	下地材を室内寸法に合わせてプレカット搬入する。
	軽量鉄骨下地への点検口の取付け	あらかじめ下地材で補強した点検口をセット加工して下地へ取り付ける。
	軽量鉄骨下地による間仕切り	金属パーテーションによる間仕切りを採用する。
	軽量鉄骨天井下地の組立て	照明器具，感知器，吹出し口などをセット加工して天井下地へ取り付ける。 システム天井の採用によって作業の効率化を図る。
建具・ガラス工事	現場でのガラスのはめ込み	あらかじめ工場でサッシにガラスをはめ込んで，現場へ搬入する。
	サッシ枠への木製額縁の取付け	額縁を一体としたサッシ枠をセット加工する。
	鉄筋コンクリート壁へのサッシの取付け	サッシ枠の型枠先付け工法によって，防水モルタルトロ詰め作業を軽減する。 サッシ打込みプレキャスト版を採用する。
左官工事	壁タイルのモルタル下地塗り	モルタル吹付け工法の採用によって，塗付け作業の効率化を図る。
	現場調合のモルタル塗り	プレミックスモルタルを使用する。
	床のモルタル塗り	セルフレベリング材の使用による塗付け作業の効率化。
塗装工事	鉄骨金物の現場塗装仕上げ	工場で亜鉛メッキ塗装後，現場へ搬入する。
	木製家具，造作材の現場塗装仕上げ	製品工場で塗装仕上げ後，現場へ搬入する。
内装工事	石こうボード下地へのクロス張り	クロス張りボードを使用する。
	石こうボード下地の現場切断加工	現場計測後，プレカット搬入することによって取付け作業の効率化を図る。

工種	従来の施工	合理的に施工する場合
その他の工事	ALC パネル下地への吹付けタイル仕上げ	工場で吹付けタイル仕上げ後, 現場へ搬入する。
	メタルカーテンウォールの断熱・耐火被覆の施工	製作工場にて断熱・耐火被覆材を接着取付け後, 現場へ搬入する。

施工の合理化を図る場合の注意

・仕上げ材, 仕様などを変更して施工の合理化を図る場合, 設計者や発注者の要望によるなど, 何らかの理由付けが必要です。施工者が勝手に変更することは認められないので注意してください。

「仕様, 仕上げ」の変更には, 発注者の了承を得るように。

試験によく出る問題 📋

 問題6

　あなたが経験した**建築工事**のうち, あなたの受検種別に係る工事の中から, 工程管理を行った工事を1つ選び, 下記の工事概要を具体的に記入した上で, 次の1. から2. の問いに答えなさい。

　なお, **建築工事**とは, 建築基準法に定める建築物に係る工事とする。ただし, 建築設備工事を除く。

〔工事概要〕

イ. 工　事　名

ロ. 工　事　場　所

ハ. 工事の内容 { 新築等の場合：建築用途, 構造, 階数, 延べ面積又は施工数量, 主な外部仕上げ, 主要室の内部仕上げ

　　　　　　　　改修等の場合：建築用途, 主な改修内容, 施工数量又は建物規模 }

ニ. 工　　　期　（年号又は西暦で年月まで記入）

ホ．あなたの立場

ヘ．あなたの具体的な業務内容

1．工事概要であげた工事のうち，あなたが担当した工種において，与えられた工期内にその工事を完成させるため，工事の着手前に着目した工期を遅延させる**要因**とその**理由**，及び遅延させないために**実施した内容**を**工種名**（鉄骨工事，タイル工事など）とともに**3つ**，それぞれ具体的に記述しなさい。

　　ただし，実施した内容の記述が同一のもの及び工程管理以外の品質管理，安全管理，コストのみについての記述は不可とする。なお，工種名については同一の工種名でなくてもよい。

2．工事概要にあげた工事及び受験種別にかかわらず，あなたの今日までの建築工事の経験を踏まえて，工期を短縮するための**合理化の方法**とそれが工期短縮となる**理由**について**工種名**とともに**2つ**具体的に記述しなさい。また，その合理化の方法を行うことにより**派生する効果**について，それぞれ具体的に記述しなさい。

　　ただし，工期を短縮するための合理化の方法については，上記1．の実施した内容と同一の記述は不可とする。なお，派生する効果については，工期短縮以外の品質面，安全面，コスト面，環境面などの観点からの記述とする。また，工種名については，同一の工種名でなくてもよい。

1. **受験種別に応じた内容**を3つ記述してください。なお，工程管理以外の**品質管理，安全管理，コストのみについての記述は不可**です。

(1)	工　種　名	塗装工事
	要因とその理由	発注者が外壁塗装の色や柄に拘っていたので，塗料の納入時期の遅れが予想されたため。
	実地した内容	発注者に塗料の見本をできるだけ早期に提示し，決定時期を確認することで工期の遅れを防止した。
(2)	工　種　名	造作工事
	要因とその理由	発注者からの要望による間取りの変更要求があり，造作作業の開始の遅れが予想されたため。
	実地した内容	設計者，関連業種との事前の打合わせで，工程の調整及び確認を行い，工期の遅れを防止した。
(3)	工　種　名	土工事
	要因とその理由	前面道路が狭い上に工事用車両の通行に時間制限があり，土砂の搬出入の遅れによる土工事の遅延が予想されたため。
	実地した内容	良質の掘削残土は，埋戻しに必要な量を現場内に仮置きし，埋戻し土として利用することによって工期の遅れを防止した。

2. **受験種別に関係なく，2つ記述**してください。なお，派生する効果については，工期短縮以外の**品質面，安全面，コスト面，環境面**などの観点から記述する必要があります。

	工 種 名	木工事
(1)	合理化の方法	内部の間仕切り壁下地に，あらかじめ工場で製作した下地枠（壁の高さ，長さに合わせた下地枠）を採用した。
	理由	現場における間仕切り壁下地の加工，取付けに要する手間が軽減でき，造作大工の作業の効率化により工期が短縮できるため。
	派生する効果	工場で製作する場合は施工図面によって製作されるので，現場では多少の調整をする程度で，精度の良い組立てが可能となる。
	工 種 名	鉄骨工事
(2)	合理化の方法	鉄骨工事の建て方作業において，鉄骨部材の地組み工法を採用した。
	理由	地上部分で鉄骨を組み立てる地組み工法は，部材の取付けに要する手間が軽減でき，作業員の効率化により工期が短縮できるため。
	派生する効果	従来の鉄骨建て方作業に比べて，荷揚げ回数の減少や作業の向上が図れるとともに，安全性も高くなる。

派生する効果について，（1）は品質面，（2）は安全面の観点から記述した参考例です。

問題 7

あなたが経験した**建築工事**のうち，あなたの受検種別に係る工事の中から，工程管理を行った工事を1つ選び，下記の工事概要を記入した上で，次の問いに答えなさい。

なお，**建築工事**とは，建築基準法に定める建築物に係る工事とする。ただし，建築設備工事を除く。

〔工事概要〕

イ．工　事　名

ロ．工　事　場　所

ハ．工事の内容 ｛ 新築等の場合：建築用途，構造，階数，延べ面積又は施工数量，主な外部仕上げ，主要室の内部仕上げ
改修等の場合：建築用途，主な改修内容，施工数量又は建物規模 ｝

ニ．工　　　期　（年号又は西暦で年月まで記入）

ホ．あなたの立場

ヘ．あなたの具体的な業務内容

1．工事概要であげた工事であなたが担当した工種において，与えられた工期内に予定どおり工事を完了させるため，あなたが**実際に行ったこと**と，なぜそうすることで予定どおり工事が進むと考えたのか，**その理由**を**工種名**（鉄骨工事，タイル工事など）とともに**3つ**，それぞれ具体的に記述しなさい。

ただし，**実際に行ったこと**の記述内容が同一のものや，工程管理以外の品質管理や安全管理についての記述は不可とする。なお，工種名については，同一の工種名でなくてもよい。

66

2．工事概要にあげた工事及び受検種別にかかわらず，あなたの今日まで
の建築工事の経験に照らし，**工期を短縮するための方法**と短縮できる**理**
由を工種名とともに**2つ**あげ，その方法を行うことによって**派生する効**
果又は**問題点**について，具体的に記述しなさい。

　　ただし，工期を短縮するための方法の記述内容が同一のものや，上記
1．の実際に行ったことと同じ内容の記述は不可とする。なお，工種名
については，同一の工種名でなくてもよい。

解答例

1．**受験種別に応じた内容**を3つ記述してください。

(1)	工　種　名	鉄筋工事
	実際に行ったこと	鉄筋工事において床スラブ配筋作業の効率化を図るため，地上にて配筋・組立てし，クレーンを使用して取り付けた。
	その理由	地上にて床スラブ筋を組み立てることで，水平・垂直の運搬作業が軽減でき，鉄筋工の労務の省力化によって工程が短縮されるため。
(2)	工　種　名	左官工事
	実際に行ったこと	外壁タイル張りのモルタル下地の施工において，当初の現場練りモルタルを工場製品に変え，現場で圧送して吹付ける吹付け工法を採用した。
	その理由	現場でモルタルを練らないので，リフトを使用して足場上へモルタルを運搬する手間もなく，塗付け作業の効率化によって工期が短縮できるため。
(3)	工　種　名	内装工事
	実際に行ったこと	軽量鉄骨天井下地の施工において，あらかじめ照明器具，感知器，吹出し口などをセット加工したものを下地へ取り付けた。

	その理由	下地の穴あけ作業や下地補強の手間が軽減でき，下地作業の効率化によって工期が短縮できるため。

２．**受験種別に関係なく，２つ記述してください。**

(1)	工 種 名	鉄筋工事
	工期短縮方法とその理由	鉄筋のガス圧接を機械式継手に変更することで，雨風に影響されることなく鉄筋の組立てが行えるため工期短縮となる。
	派生する効果又は問題点	機械式継手はガス圧接に比べて，施工品質は向上するが，部分的に鉄筋径が大きくなり，鉄筋のあきやかぶり厚に留意する必要がある。
(2)	工 種 名	内装工事
	工期短縮方法とその理由	軽量鉄骨壁下地の施工において，金属パーテーションによる間仕切りを採用することで，現場での加工作業が軽減できるため工期短縮となる。
	派生する効果又は問題点	従来の間仕切り壁の施工に比べて残材の発生量も少なく，品質の向上にもつながるが，遮音壁が要求される場合などはその仕様に留意が必要である。

問われている内容が「ＡとＢ」のような場合，「何がＡで，何がＢなのか」を明確にした文章となるように心掛けてください。

問題 8

　あなたが経験した**建築工事**のうち，あなたの受検種別にかかる工事の中から，工程管理を行ったものを 1 つ選び，工事概要を記入した上で，次の問いに答えなさい。

　なお，**建築工事**とは，建築基準法に定める建築物にかかる工事とする。ただし，建築設備工事を除く。

〔工事概要〕

イ．工　事　名

ロ．工　事　場　所

ハ．工事の内容｜ 新築等の場合：建築用途, 構造, 階数, 延べ面積又は施工数量
　　　　　　　　　　　　　　　主な外部仕上げ，主要室の内部仕上げ
　　　　　　　　｜ 改修等の場合：建築用途, 主な改修内容, 施工数量又は建物規模

ニ．工　　　期　（年号又は西暦で年月まで記入）

ホ．あなたの立場

ヘ．あなたの具体的な業務内容

1．工事概要で上げた工事において，次の①から③の項目について，工程管理上，手配時に何をどう留意したかの**留意事項**とその**理由**を，工種名をあげ，それぞれ具体的に記述しなさい。
　　なお，①から③の項目にかかる工種については，あなたが実際にかかわった工種（鉄骨工事，タイル工事等）とし，同一の工種でなくてもよい。
　　ただし，留意事項については，同一内容の記述又は安全やコストのみの記述は不可とする。

〔項目〕

①　材料（仮設材，本工事材料，消耗品）

②　工事用機械・器具・設備

③　労働力（作業員）

2．工事概要にあげた工事及び受検種別にかかわらず，あなたの建築工事
　の経験に照らし，工程・工期を遅延させる**要因と生じる事態**を工種名と
　ともに2つあげ，それに対する**遅延防止対策**を，それぞれ具体的に記述
　しなさい。
　　ただし，1．と同一内容の記述は不可とする。

解答例

1．**受験種別に応じた内容**を項目にしたがって記述してください。

①材料（仮設材，本工事材料，消耗品）	
工　種　名	木工事
留意事項	製作期間や乾燥期間を要する木工事材料の発注が遅れないように留意した。
理由	現場での製作は作業効率が悪く，工程管理上，工場製作としたので，後工程に影響を与えないように発注時期を適切にする必要があった。
②工事用機械・器具・設備	
工　種　名	掘削工事
留意事項	適切な掘削重機を手配するために，ダンプによる搬出土の捨て場までの往復時間に留意した。
理由	施工日数を把握するには，1日のダンプ台数が必要である。適切な台数が掘削重機の効率化につながると考えたため。
③労働力（作業員）	
工　種　名	木工事

留意事項	和室の造作工事を行う熟練大工の人数を確保するとともに，造作技術の確認に留意した。	
理由	最近は，熟練大工の確保が困難で，その確保に時間を要すると考えたため。	

2．受験種別に関係なく，2つ記述してください。

	工　種　名	内装工事
(1)	要因と生じる事態	GL工法による石こうボードの乾燥期間や下地処理の遅れにより，クロス張り施工の着手が遅れることが予想される。
	遅延防止対策	軽量鉄骨下地によるクロス張りボードを採用することにより，乾燥期間や下地処理の効率化を図る。
(2)	工　種　名	建具工事
	要因と生じる事態	施工図の作成や図面の承認が遅れた場合，建具の製作開始が遅れることが予想される。
	遅延防止対策	製作開始までの工程について，関係者との打合せを適切に行い，施工図の作成や図面の承認が遅れないように予定工程に間に合わせる。

要因と生じる事態は，「〜が遅れた場合（要因），〜が遅れることが予想される。（生じる事態）」などの文章構成とすると良いです。

第 3 章
施工管理法

※検定制度の改正により，3　施工管理（躯体・仕上）の問題は，マークシート方式の四肢一択問題へと変わっています。

形式は，巻末の「新検定制度問題　出題例　問題5」（P200）を参照してください。

4つの言葉の中から1つを選べばよいので，これまでの過去問題より正答を得やすくなっています。

本章では演習をかねて，過去の出題形式で学習してください。

1 建築工事に関する用語

要点の整理と理解 📝

1 用語の説明と施工上留意すべき内容

理解しよう!

工事	用　語	用語の説明	施工上留意すべき内容
仮設工事	養生朝顔	建築物の仮設工事において，落下物を防ぐために足場から斜めに突き出した防護棚。	はね出し長さは2m以上とし，水平面となす角度は20度以上とする。また，強風に耐える構造とする。
	ローリングタワー	移動式の枠組み足場のことで，車輪が脚部に取り付けてあり，水平方向への移動を容易にした機能的な足場。	傾斜のある場所では使用しない。作業時は，足元のストッパーをすべて固定し，安全帯を使用して作業する。人を乗せたまま移動しない。
	足場の手すり先行工法	「手すり先行工法」とは，足場の組立・解体時に，常に先行して手すりが設置できるという工法。	手すり先行工法による一連の作業を適切に行い，安全帯の取付け設備，機材等の性能，使用方法に適した施工をする。
	親綱	鉄骨の梁上など，高所作業を行う場合に，安全帯を取り付けるためのロープ。	たるみなく張るとともに，墜落の衝撃に耐えられるように固定する。
	ベンチマーク	土地や建物の位置や高さを測定するための基準点。	見通しの良い場所に正確に設置し，工事完了まで移動しないようその周囲を養生する。2箇所以上設置する。

工事	用　語	用語の説明	施工上留意すべき内容
仮設工事	乗入れ構台	地下工事等を施工する際，建設重機を乗入れて作業するための作業構台。	重機乗入れ部の勾配は，1／10～1／6程度とする。地下躯体の主要構造部分に当たらないように，支柱を配置する。
	床開口部の養生	設備用や荷揚げ用の床開口部からの墜落や落下災害を防止するための養生。	床開口部の養生は，開口部を足場板で蓋をするか，開口部周りに手すり等を設置して，墜落・落下防止対策をする。
	陸墨	水平を示すために，建物などの壁に打つ墨出しのこと。	床や開口部の位置，天井の高さなどを決めるための基準として利用する。
	一側足場	単管足場において，建地が1本の足場で，狭い場所に用いる。	足場の組立て，解体は，不安定な状態で行うので，壁つなぎ等の確認に注意し，安全に実施する。
	つり棚足場	鉄骨梁から吊るした棚足場で，作業足場と養生ネットを兼ねた仮設足場。	つり足場の作業床は幅400mm以上とし，かつ，すき間がないようにする。
	足場の建地	単管足場の組立て材料のうち，垂直に立てる部材をいう。	足場の種類ごとに最大間隔，本数などが労働安全衛生規則で決められているので，適切に設置する。
土工事・地業工事	床付け	砂利の敷き込みや捨てコンクリート打ちなどの地業工事ができるように，根切り底までの深さに掘りそろえること。	床付け面は，地盤を荒らさないように留意する。機械掘りの場合は，床付け面より浅い位置で止め，その後はレベルをチェックしながら手掘りで行う。
	つぼ掘り	独立基礎をつくるために，平面上で基礎の部分だけ，土を角形に掘削すること。	所定の位置，大きさを確認するとともに，床付け面を荒らさないようにする。

工事	用　語	用語の説明	施工上留意すべき内容
土工事・地業工事	布掘り	建築物の布基礎を構築するために，帯状に掘削すること。	掘削範囲の決定は，型枠の組立て，解体作業が十分にできるように適切な根切り幅を見込んでおく。
	砂利地業	支持地盤と，基礎や土間コンクリートとの間に締め固めてつくる敷砂利，又は，その作業をいう。	締固めが効果的に行われるように，転圧回数等の確認を行う。また，根切り底を荒らさない。
	ヒービング	軟弱な粘性土地盤を掘削するとき，矢板背面の土の重量によって掘削底面内部にすべり破壊が生じ，底面が押し上げられて膨れ上がる現象。	山留め壁の根入れ部分がヒービングの起きない良質な地盤まで延びているかを確認する。
	切梁のプレロード工法	切梁を架設した際に設置した油圧ジャッキによって，山留め壁を背面側に押し戻す工法。	油圧ジャッキによる加圧は，切梁交差部のボルトを緩めた状態で行う。ずれ止めを設けて切梁の蛇行を防止する。
	土工事における釜場	乾燥状態で土工事を行うため，根切りの底面に設け，ここにポンプの吸込み口を入れるなどして排水するための枡。	釜場の設置場所は，基礎スラブの支持力に悪影響を与えない場所とする。
	鋼矢板	シートパイルとも呼ばれ，両端に継手があり，互いに組み合わせることで山留め壁をつくる鋼板製の矢板。	鋼矢板の打込みは，矢板を垂直に，かつ，かみ合わせを確実にするために，びょうぶ打ちとする。
	切梁支柱	山留めにおいて，切梁を支えるのと同時に切梁の面外座屈を防止するための支柱。	切梁の自重や座屈荷重に耐えるためには，必要な根入れ長さを確保する。

76

工事	用　語	用語の説明	施工上留意すべき内容
土工事・地業工事	地盤アンカー工法	切梁の代わりに，背面の安定した地盤にアンカー体を造成しPC鋼線で緊張し，背面地盤を安定させる工法。	引張り材の防錆処理を確実に行うとともに，引張り強度の確認が必要である。掘削深さが少ない場合に採用する。
	アイランド工法	構造物中央部分の地盤を先行掘削して地下の構造体をつくり，これを反力にして山留め壁の安定を図って残り部分の根切りを行なう山留め工法。	周辺部に残す地盤の掘削が，切梁施工後に行われるため，作業能率の低下が生じやすいので，掘削順序は適切に計画する。
	スライム	杭地業工事において，地盤を削孔する際の孔壁の崩落土，又は泥水中の土砂等が孔底に沈殿したもの。	スライムを処理せずにコンクリートを打設すると，杭の沈下や構造亀裂が生じるので，適切な方法で処理する。
鉄筋工事	腹筋	梁の配筋において，梁せいが大きい場合に，あばら筋のズレや変形を防ぐために設ける補助鉄筋で，上下の主筋の間に入れる。	梁せいが600mm以上の場合に，300mm程度ごとに1対設け，あばら筋全数と緊結し，幅止め筋で梁幅を確保する。
	帯筋	鉄筋コンクリート柱の主筋の周囲に，所定の間隔で配置するせん断補強のための鉄筋で，柱の圧縮強度や靱性を高める。	柱の主筋の周囲に所定の間隔で巻きつけ，末端部は135°のフックをつける。
	スペーサー	型枠面と鉄筋を所定の間隔に保持するために挿入するもの。	スペーサーの材質は，コンクリート製・鋼製とし，モルタル製は，強度・耐久性が不十分なので使用しない。

第3章

施工管理法

工事	用　語	用語の説明	施工上留意すべき内容
鉄筋工事	あばら筋	鉄筋コンクリート造において，梁の主筋の位置保持やせん断補強のために，材軸に直交して主筋の周囲に配置する鉄筋。	フックの形状は135°に曲げ，フックの位置は，原則として交互にする。また，最少鉄筋量，ピッチに注意する。
	先組み工法	鉄筋の組立てを工場や地上で先組みし，クレーンで吊り上げて所定の位置にセットする工法。	運搬時や吊り上げ時に変形しないように，必要に応じて補強筋を入れるなどして，組立て精度を保つ。
	圧延マーク	異形鉄筋の種類を区別するために付けられた印。	圧延マークにより異形鉄筋の種類を区別することができるので，施工前には適切な材料であるかを確認する。
型枠工事	根巻き	型枠の移動防止や精度の確保，セメントペーストの漏れ防止などのために，型枠の建込みに先立って，下部に設けるもの。	型枠の建込みの基準になるものであるから，正確にかつコンクリートの不陸に対しても隙間なく設置する。
	天井インサート	天井下地材を吊るために，コンクリート打設前に，あらかじめ型枠に留め付けておく袋ネジ形の金物。	所定の荷重に対して，十分な引張強度をもつ形状のものを使用し，取付け位置を確認する。
	耐震スリット	鉄筋コンクリート造の建物で腰壁や垂れ壁がある場合に，柱が短柱になるのを防ぐため，柱際で縁を切るための構造目地。	コンクリート打設時に，破損や位置のずれが生じないようにする。外壁側はシーリングにより止水する。
	フラットデッキプレート	コンクリートスラブの打込み型枠や床板として用いられる上面が平らな薄鋼板。	敷き込みに当たっては，取り合う型枠等の強度を十分確保する。衝撃に弱いので養生方法や揚重方法に留意する。

工事	用　語	用語の説明	施工上留意すべき内容
型枠工事	コンクリートのひび割れ誘発目地	コンクリートの収縮によるひび割れを，所定の位置に集中的に発生させることを目的として設けられた目地。	誘発目地の割付は，厚さや面積に対して適切な配置とし，適切な深さを確保する。鉄筋のかぶり厚さは，目地底から確保する。
	パイプサポート	梁底及び床底などの型枠を支持するための鋼管支柱のこと。	垂直に立て，上下階の支柱は平面上の同一位置とする。パイプサポートは3本以上継いではならない。
	型枠のセパレーター	型枠工事で使用され，せき板の間隔を一定に保持する金具。	打放し仕上げなど，表面を平滑に仕上げる場合は，コーンの付いたセパレーターを使用する。
	フォームタイ	壁などの型枠の組立てにおいて，相対するせき板の間隔を一定に保持するために用いる締付用ボルト。	せき板の間隔が適切に取れる長さのものを用い，コンクリートの打設時には，圧力に十分耐えられるようにする。
	型枠のはく離剤	打込まれたコンクリートから型枠を容易に取り外すために，あらかじめ型枠の内面に塗布する薬剤。	はく離剤は，コンクリートの表面に悪影響を与えないものを使用する。
コンクリート工事	スランプ	スランプコーンにフレッシュコンクリートを充填し，脱型したとき自重により変形して上面が下がる量。	調合管理強度に応じたスランプのコンクリートを使用し，スランプ試験においては，スランプの許容差の確認を適切に行う。
	タンピング	床スラブのコンクリート打設後，コンクリート表面をタンパーで繰り返し叩いて，締め固める作業。	スラブ等は無理に叩くと亀裂が生じるので，コンクリートが凝結硬化を始める前にタンピングする。

施工管理法

工事	用 語	用語の説明	施工上留意すべき内容
コンクリート工事	ブリーディング（ブリージング）	コンクリート打設後，フレッシュコンクリートにおいて，練混ぜ水の一部が分離して上方に移動する現象。	ブリーディングによって生じた収縮ひび割れは，コンクリート打込み後，凝結が終了する前に，タンパーによるタンピングを十分に行う。
	コンクリートの打継ぎ	硬化し始めたコンクリートに接して，新たにコンクリートを打ち込むこと。	レイタンスや脆弱なコンクリートを取り除き，新たにコンクリートと一体となるように処置する。
	コンクリートの締固め	突き棒，振動機などを使用してコンクリートを型枠内の隅々まで密実に充填すること。	突き作業や振動に時間をかけ過ぎるとコンクリートが分離して品質が低下するので留意する。
	床コンクリート直均し仕上げ	床コンクリート打設後，コンクリートの表面を金ごてで直接仕上げ，その後のモルタル塗り等を行わない仕上げ。	夏場や大面積の場合は，仕上げの直均しが表面の硬化に追いつかず，精度が低下しやすいので留意する。
	コンクリートの回し打ち	型枠にコンクリートを流し込む際，コンクリートを全体に配分しながら打ち進む方法。	回し打ちの場合，1回の打込み高さが余り高くならないので，前に打込んだコンクリートの間にコールドジョイントができないようにする。
鉄骨工事	仮ボルト	鉄骨の建て方時において，高力ボルトの本締めまでの間，架構の変形・倒壊を防ぐために使用する仮のボルト。	本締めまでの予想される外力に対して安全なように，1群に対して所定の本数以上を締める。
	溶接のアンダーカット	溶接の止端に沿って母材が掘られて，溶着金属が満たされないで溝となって残る溶接の欠陥。	溶接の運棒操作を適切に行い，過大な電流を与えないようにする。

工事	用　語	用語の説明	施工上留意すべき内容
鉄骨工事	ブローホール	溶接金属中にガスによってできた球形またはほぼ球形の空洞で，溶接内部の欠陥。	清掃が不十分な場合や溶接棒に湿気が多い場合に生じるので，清掃・乾燥を十分に行う。
	鉄骨建方時の安全ブロック	落下の危険のある作業現場で，作業中や昇降中の墜落を阻止する安全具。	作業中の水平移動は，本体真下より30度以内でゆっくりと行う。素早く移動すると，ロック機構が作動し危険である。
	リーマー掛け	リーマーとは，ボルト穴などの径の修正，食違いを修正する工具で，回転させながら鋼材を削る。このリーマーを用いて，鋼材を削る作業。	2mmを超えるボルト穴の食違いの場合は，リーマー掛けで修正してはならない。
	鉄骨柱のベースモルタル	鉄骨柱の建込みに先立ち，柱を支持するためにアンカーボルトの中央部に所定の高さに塗り付けるモルタル。	モルタルの塗厚さは，30mm以上50mm以内とする。鉄骨建て方までに3日以上の養生期間を確保する。
	スタッド溶接	スタッド（頭付きの短い鋼棒）の先端と母材の間にアークを発生させ，加圧して行なう溶接。	電源は専用電源とする。直接溶接とし，下向き姿勢で行う。
	鉄骨の地組	鉄骨建方において，あらかじめ部分的に部材を地上で組んでおくこと。	高所での組立てで不具合が発生しないように，地組部材の寸法精度を確認する。
	いなずまプレート	ALCパネルをアングル材に取り付ける際に使用するための折り曲がった取付金物。	アングル材に取り付ける際は，所定の溶接長さを確保し，錆止め塗装をする。

工事	用　語	用語の説明	施工上留意すべき内容
鉄骨工事	エンドタブ	溶接の欠陥が生じやすい溶接ビードの始端と終端の溶接を行うために，溶接接合する板材の両端に取り付けた補助鋼板。	エンドタブを取付ける場合は，裏あて金に取り付け，直接，母材に組立て溶接しない。
木工事	仕口	木材を切削加工して接合する場合，2つ以上の部材をある角度をもって接合する部分をいう。	部材断面の切り欠きは材を弱めないようにし，仕口は確実に密着させて，すき間のないように接合する。
	木構造の通し柱	2階建以上の木構造で土台から軒桁までを1本の材で通した柱。	胴差と通し柱との仕口の補強には，羽子板ボルトを使用する。心持ち材を使用する場合は背割りを入れる。
	木構造の土台	木造建築物などの柱の脚部を固定する水平材。	土台はアンカーボルトにより基礎に緊結する。
	胴差し	木構造の軸組において，2階以上の床の位置で柱を相互に繋いでいる横架材。	材の下端に引張り応力がかかるので，下端の中央部には欠き込みをつくらない。
	気密シート	湿気の防止や隙間を防ぐためのポリエチレンフィルムで，住宅の壁などに張り，省エネルギー対策として使用される。	防湿層としてシートを張る場合は断熱材の室内側に張る。継目を少なくするために幅広のシートを張り，木下地の場合は，木下地の上で10cm以上重ね合わせ，その上からボードなどを留め付ける。
防水・シーリング工事	脱気装置	露出絶縁工法の防水層の一部に取り付け，防水下地の湿気を外部に排出する装置で，膨れを抑える効果がある。	脱気装置によって水分の排出能力が異なるので，設置数量等は製造業者の指定する脱気層を配置する。

工事	用　語	用語の説明	施工上留意すべき内容
防水・シーリング工事	改質アスファルトシート防水工事のトーチ工法	トーチ状のガスバーナーによって，改質アスファルトシートの裏面及び下地を均一にあぶり，改質アスファルトを溶融させながら密着させる工法。	シート相互の重ね幅は，長手・幅方向とも100mm以上として，水下から水上に向かって張り付ける。
	屋上の保護コンクリート	防水層の劣化や歩行による損傷防止のために，防水層の上に設けるコンクリート。	成形伸縮調整目地材の割付けは，縦・横の間隔3m程度とし，立上り部から600mm以内の位置に設ける。
	防水工事の絶縁用テープ	コンクリート打継ぎ部分やALCパネルの短辺部など，下地の動きが防水層に及ばないように，下地と防水層の間に張付けるテープ。	絶縁用テープを使用する部分により適切な幅のテープを使用する。また，下地の乾燥状態や清掃を徹底する。
	シーリング工事のマスキングテープ	被着材の汚れを防ぎ，仕上げの線を美しく見せるために周辺に仮張りする粘着テープ。	除去後，粘着材が残らず，仕上げ材を損傷しない材質のテープを選定する。
	バックアップ材	シーリング材が所定の形状寸法に充填されるように，シーリング材を充填する前に目地の奥に挿入する成形材料。	シーリング材と接着しない材料を使用し，浮きが生じないように目地底に確実に設置する。
	ボンドブレーカー	シーリング材の3面接着を防止するために目地底に張る材料で，ポリエチレンなどの粘着テープをいう。	
石・タイル工事	ジェットバーナー仕上げ	石材の表面仕上げの一種。ジェットバーナーで石材の表面を飛ばして，滑らかな凹凸状の表面に仕上げる方法。	花崗岩（御影石）のみの仕上げに使用し，高温を加えるためには，石厚30mm以上が必要である。

工事	用　語	用語の説明	施工上留意すべき内容
石・タイル工事	外壁石張り乾式工法	鉄筋コンクリート躯体に後打ちアンカーなどで固定された取付け金物（ファスナー）で石材を固定する方法。	取付け金物（ファスナー）は，ステンレス製とする。振動や風圧力に耐える適切な金物を使用する。
	内壁石張りの空積工法	コンクリート躯体に固定した鉄筋に石材を引き金物で緊結し，緊結部分を取付け用モルタルで固定する工法。	引き金物等はステンレス製とする。幅木裏には全面に，幅木のない場合は最下部の石裏に高さ100mm程度まで，裏込めモルタルを充填する。
	密着張り工法（ヴィブラート工法）	張付けモルタルを下地面に塗り付け，振動工具（ヴィブラート）を用いてモルタルが軟らかいうちにタイルに振動を与えて，埋め込むように張付ける工法。	張付けは，上部より下部へと行い，1段おきに数段張付けた後，その間のタイルを張る。ヴィブラートによる加振は，張付けモルタルがタイルの四周から目地部分に盛り上がる状態になるまで行う。
	マスク張り工法	ユニット化されたタイルの裏面に専用のマスク板を乗せて張付けモルタルを塗り付け，マスク板を外してから下地面に張り付ける工法。	張付けモルタルの塗り付け後，タイルを壁面へ張り付けるまでの時間は5分以内とする。
	セメントモルタルによるモザイクタイル張り	張付けモルタルを下地面に塗り付け，直ちにモザイクユニットタイルを壁面にたたき押えて張り付ける工法。	張付けモルタルの1回の塗付け面積は3㎡以下とし，かつ，20分以内に張り終える面積とする。また，2層に分けて塗り付ける。
	ユニットタイル	施工しやすいように数個のタイルを並べて表面に30cm角程度の台紙を張ってユニット化したタイル。	タイルの張付けは，目地にモルタルがはみ出すまでたたき押え，張付けが終了した後，時間を見計らって水湿しして表紙をはがす。

工事	用 語	用語の説明	施工上留意すべき内容
石・タイル工事	裏足	タイルと張付けモルタルの接着性を高めるために，タイル裏面に設けられた凹凸。外部で使用する外装タイルの裏足は，通常，あり状とする。	外壁タイルの張付けは，張付けモルタルに裏足が十分食い込むように入念に施工する。外装タイルの裏足の高さの最大は3.5mm程度とする。
屋根・金属工事	ルーフドレン	屋根やバルコニーの雨水を外部に排出するため，雨水を集めて排水する金物。	ルーフドレン内に，アスファルトやコンクリートが流入しないように適切に養生する。また，防錆処理が必要である。
	たてどいの養生管	硬質ポリ塩化ビニル管のたてどいの下部を，衝撃による変形や破損から保護するための鋼管。	取付けは，衝撃に耐えられるように適切な方法で固定し，下部は排水溝の蓋に差し込む。
	トップライト	天井や屋根に設けた採光のための窓で，天窓ともいう。	漏水しやすい場所の為，可能な限り側面シールとするなど，防水処理に留意する。
	軽量鉄骨壁下地の振れ止め	スタッドの振れを防止するために，スタッドに貫通させる補強材。	床ランナーの下部から間隔1,200mm程度の個所に設ける。フランジ側を上向きにし，浮きが生じないように固定する。
	軽量鉄骨天井下地のクリップ	軽量鉄骨天井下地に用いる金物で，野縁を野縁受けに取り付けるために使用される。	クリップは交互に向きを変えて取り付け，留付け時には，野縁受けの溝内に十分に折り曲げる。
	板金のろう付け	接合する部材（母材）よりも融点の低いろう金属を溶かして母材間隙に流入させ，一種の接着剤として用いることにより，母材自体を溶融させずに接合する方法。	板金のろう付けは，接着強度が比較的弱いので，繰り返し応力が生じる箇所には使用しない。また，高熱によるひずみに注意する。

工事	用 語	用語の説明	施工上留意すべき内容
建具・ガラス工事	クレセント	引違いサッシなどの召合せ部分に取り付ける戸締まり用の金物。	取付け高さに注意し，操作時には無理なく開閉でき，適切な締付け力を保持する。
	アルミサッシのかぶせ工法	サッシの改修の際，既存サッシの枠を残して新規サッシを取り付ける工法。	既存枠の厚さ，錆等を確認し，必要に応じて防錆・補強等を行った後に新規サッシを取り付ける。既存サッシとの取合い部分の止水に留意する。
	グレイジングチャンネル	グレイジングガスケット工法に使用される材料の一種で，サッシ枠にガラスを取り付けるために使用するゴム製の固定材。	突合せ箇所は，上がまちの中央の位置とする。また，ガラスに巻きつける際，隙間が生じないようにし，特に隅の部分は確実に留め付ける。
	ガラス工事のセッティングブロック	サッシの溝底とガラスが接触するのを防止するために，溝内に設置する副資材。	ガラスの横幅寸法の１／４の位置に２箇所設置する。
塗装工事	研磨紙ずり	塗料の付着性を向上させるために，素地調整の工程で行う研磨紙を用いて研磨する作業。	研磨紙には番号があり，荒目から順に番号を上げて研磨ずりを行う。
	目止め	木材塗装の下地処理。との粉やウッドフィラーなどで微細な目をつぶし，表面をきれいに仕上げる作業。	塗料の吸収しやすい木材の場合は，色むらが生じやすいので，適切な材料の選定と塗布方法に留意する。
	パテかい	塗装やクロス張り下地にできた凸凹や隙間などに，パテ材をつけて平滑にする作業。	下地の種類に応じたパテを使用するとともに，ひび割れが生じないように塗付け量は最小限とする。

工事	用　語	用語の説明	施工上留意すべき内容
左官工事	モルタルのつけ送り	下地の不陸を調整するために，下塗り前にモルタルを塗って調整する作業。	1回の塗厚は7mm程度で全塗厚は25mm以下とする。25mmを超える場合は，モルタルの剥離防止対策をする。
	むら直し	左官工事で，表面の不陸を直すために窪んだ部分にだけモルタルを塗り付けて調整すること。あるいは，その塗層をいい，下塗り後に行う。	むら直しが部分的な場合は，下塗り後に引続いて行うが，大きい場合は，下塗りが乾燥して，十分なひび割れが発生した後に行う。
	セルフレベリング工法	材料のもつ流動性を利用して重力により自然流動させて平滑な床面をつくる工法。	流し込み作業中はできる限り通風をなくし，施工後も材料が硬化するまでは，はなはだしい通風を避ける。
	樹脂混入モルタル	作業性の向上，下地への付着性，はく離・収縮ひび割れの防止などを目的として，合成樹脂系混和材を混入したモルタル。	合成樹脂系混和材を混入する場合，混入量・可使時間に留意する。また，規格に適合しているかを，試験成績書や製造所の仕様で確認する。
内装工事	気密シート	湿気の防止や隙間を防ぐためのポリエチレンフィルムで，住宅の壁などに張り，省エネルギー対策として使用される。	防湿層としてシートを張る場合，断熱材の室内側に張る。木下地の場合，木下地の上で10cm以上重ね合わせ，その上からボードなどを留め付ける。
	継目処理工法	長辺方向にテーパーの付いたせっこうボードを使用して，目地なしの壁面をつくる工法。	継目部分は，ジョイントテープやジョイントコンパウンドを用いて平らに仕上げる。

工事	用　語	用語の説明	施工上留意すべき内容
内装工事	せっこうボードの直張り工法	直張り用接着材を下地に一定の間隔に塗り付け，ボードを壁などに押し付けるように張り付ける工法。	接着材の一度に練る量は1時間以内に使い切れる量とする。1回の接着材の塗付けは，張り付けるボード1枚分とする。
	せっこうボード張りにおけるコーナービード	柱や壁の出隅を保護するために取り付ける金属製などの部材。	コーナービードの錆は表面仕上げに影響するので，材質の選定に留意する。
	壁紙の袋張り	壁紙を張る際，下張りの上に，壁紙の周辺だけにのりを付けて張る方法。	張付けのりの乾燥具合を確認し，しわやたるみが生じないように施工する。
	グリッパー工法	部屋の周囲に，釘針の出ているグリッパーを打ち付け，これに伸張したカーペットを引っ掛けて固定する工法。	カーペットの敷詰めは，すき間や不陸が生じないように伸張用工具を用いて適切な張力でグリッパーに固定する。
	ビニル床シートの熱溶接工法	ビニル床シートの継手を熱溶接機で，一体的に接合する方法。	継手の溝切りは，接着剤が完全に硬化してから行い，溝の深さは床シートの厚さの2／3程度の深さとする。
	タイルカーペット	タフテッド等を基材としてパッキング材を裏打ちした40cm〜50cm角程度の大きさのタイル状のカーペット。	カーペットの割付けは，部屋の中央から行い，出入口部分には2／3以上の大きさのものがくるようにする。
	フリーアクセスフロアー	OA室等で，フロアを上底にし，本来の床面と，上底にした床面との空間を利用して，電源や電話，ネットワークなどのケーブル配線を行えるようにした二重床。	床パネルが細かく分かれているため，がたつきが生じないように支持金物の高さ調整を適切に行う。

工事	用　語	用語の説明	施工上留意すべき内容
内装工事	モザイクパーケット	ひき板や単板などの小片を2枚以上並べて，ベースとなる紙や布に表面を糊付けしてピース状にした床材。	合板下地などに接着剤で張り込むが，施工後，表面に付着した接着剤は直ちに拭き取る。
その他	歩道切下げ	道路部分において，車道と歩道部分に高低差がある場合，車両の出入りの利便性を図るために，歩道部分を切り下げる行為をいう。	工事に当たっては，道路管理者の許可を受けて工事を行う。
	ガラスブロック積み工法	金属枠に，補強のための力骨，変形を吸収する緩衝材を使用して，ガラスブロックを積む工法。	施工面積が大きい場合は，地震時の躯体変形に追従しないので，伸縮目地が必要である。

試験によく出る問題 📋

問題 9

次の建築工事に関する用語のうちから **5 つ**選び，その**用語の説明と施工上留意すべき内容**を具体的に記述しなさい。

ただし，仮設以外の用語については，作業上の安全に関する記述は不可とする。また，使用資機材に不良品はないものとする。

足場の壁つなぎ	帯筋
親綱	型枠のフォームタイ
グリッパー工法	軽量鉄骨壁下地のスペーサー
コンクリートの回し打ち	土工事のつぼ掘り
塗膜防水絶縁工法の通気緩衝シート	木工事の大引
木造住宅の気密シート	床コンクリートの直均し仕上げ
ユニットタイル	溶接作業の予熱

解答例

受験種別に関係なく，５つ選んで記述してください。

用　　語	足場の壁つなぎ
用語の説明	仮設足場において足場を建物の壁などに固定するために使用される部材。建物と足場を連結し，足場の倒壊や変形を防止する。
施工上留意すべき内容	足場の種類に応じて，水平方向・鉛直方向の取付け間隔が労働安全衛生規則で決められているので，適切に設置する。

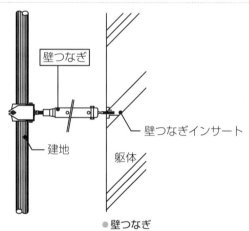

●壁つなぎ

用　　語	親綱
用語の説明	鉄骨の梁上など，高所作業を行う場合に，安全帯を取り付けるためのロープ。
施工上留意すべき内容	たるみなく張るとともに，墜落の衝撃に耐えられるように固定する。

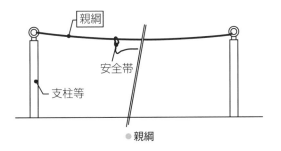

● 親綱

用　　　語	グリッパー工法
用語の説明	部屋の周囲に，釘針の出ているグリッパーを打ち付け，これにカーペットを伸張しながら引っ掛けて固定する工法。
施工上留意すべき内容	カーペットの敷詰めは，すき間や不陸が生じないように伸張用工具を用いて適切な張力でグリッパーに固定する。

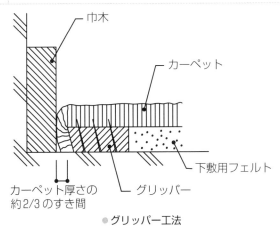

● グリッパー工法

用　　　語	コンクリートの回し打ち
用語の説明	型枠にコンクリートを流し込む際，コンクリートを全体に配分しながら打ち進む方法。
施工上留意すべき内容	回し打ちの場合は，1回の打込み高さが余り高くならないので，前に打込んだコンクリートの間にコールドジョイントができないように適切な処置をする。

用　　　語	塗膜防水絶縁工法の通気緩衝シート
用語の説明	塗膜防水層の最下層に設けて，下地ムーブメントの緩衝効果と通気効果を目的として使用する繊維もしくは発砲プラスチック系のシート材料。溝付きタイプや穴あきタイプがある。
施工上留意すべき内容	通気緩衝シートは，接着剤を塗布し，シート相互を突付け張りとするとともに，防水処理を入念に行う。

用　　　語	木造住宅の気密シート
用語の説明	湿気の防止や隙間を防ぐためのポリエチレンフィルムで，住宅の壁などに張り，省エネルギー対策として使用される。
施工上留意すべき内容	防湿層としてシートを張る場合は断熱材の室内側に張る。継目を少なくするために幅広のシートを張り，木下地の場合は，木下地の上で10cm以上重ね合わせ，その上からボードなどを留め付ける。

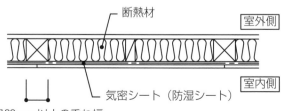

●気密シート

用　　語	ユニットタイル
用語の説明	施工しやすいように数個のタイルを並べて表面に30cm 角程度の台紙を張ってユニット化したタイル。
施工上留意すべき内容	タイルの張付けは，目地にモルタルがはみ出すまでたたき押え，張付けが終了した後,時間を見計らって水湿して表紙をはがす。

用　　語	帯筋
用語の説明	鉄筋コンクリート柱の主筋の周囲に，所定の間隔で配置するせん断補強のための鉄筋で，柱の圧縮強度や靭性を高める。
施工上留意すべき内容	柱の主筋の周囲に所定の間隔で巻きつけ，末端部は135°のフックをつける。また，フックの位置は交互とし，結束線の端部は部材内部に折り曲げる。

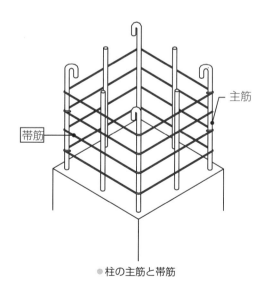

主筋

帯筋

● 柱の主筋と帯筋

用　　語	型枠のフォームタイ
用語の説明	梁や壁などの型枠の組立てにおいて，相対するせき板の間隔を一定に保持するために用いる締付用ボルト。
施工上留意すべき内容	せき板の間隔が適切に取れる長さのもの用い，コンクリートの打設時には，圧力に十分耐えられるようにする。

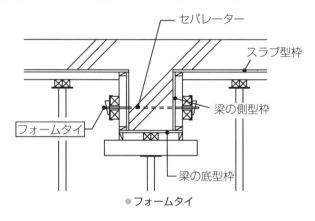

●フォームタイ

用　　語	軽量鉄骨壁下地のスペーサー
用語の説明	スタッドの形状を保持するために，スタッドに一定間隔に取付ける部材。
施工上留意すべき内容	各スタッドの端部を押さえ，間隔600mm 程度に留め付ける。

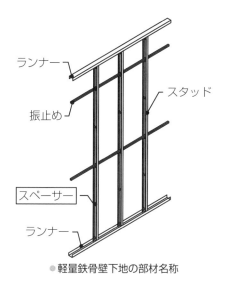

ランナー

振止め

スタッド

スペーサー

ランナー

●軽量鉄骨壁下地の部材名称

用　　　語	土工事のつぼ掘り
用語の説明	独立基礎をつくるために，平面上で基礎の部分だけ，土を角形に掘削する方法。
施工上留意すべき内容	所定の位置，大きさを確認するとともに，床付け面を荒らさないようにする。

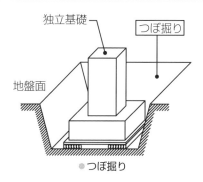

独立基礎

つぼ掘り

地盤面

●つぼ掘り

用　　語	木工事の大引
用語の説明	木造建物の1階床組みで，根太を支持するための横木。
施工上留意すべき内容	一般的に900mm 程度の間隔で根太に直角になるように施工し，端部は土台や大引き受けに適切に連結する。

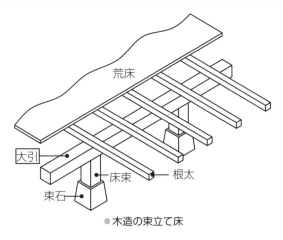

●木造の束立て床

用　　語	床コンクリートの直均し仕上げ
用語の説明	床コンクリート打設後，コンクリートの表面を金ごてで直接仕上げ，その後のモルタル塗り等を行わない仕上げ。
施工上留意すべき内容	夏場や施工面積が大きい場合は，仕上げの直均しが表面の硬化に追いつかず，精度が低下しやすいので留意する。

用　　語	溶接作業の予熱
用語の説明	溶接の操作に先立って，母材に熱を予め加えること。
施工上留意すべき内容	板厚が厚い場合や気温が低い場合など溶接による割れを防止するため，表面温度とともに予熱範囲を適切に管理する。

問題10

　次の建築工事に関する用語のうちから **5つ**選び，その**用語の説明**と**施工上留意すべき内容**を具体的に記述しなさい。

　ただし，仮設以外の用語については，作業上の安全に関する記述は不可とする。また，使用資機材に不良品はないものとする。

型枠の根巻き	ガラス工事のセッティングブロック
ジェットバーナー仕上げ	脱気装置
テーパーエッジせっこうボードの継ぎ目処理	鉄骨工事の仮ボルト
天井インサート	床付け
腹筋	ブリーディング（ブリージング）
防護棚（養生朝顔）	木工事の仕口
ルーフドレン	陸墨

受験種別に関係なく，5つ選んで記述してください。

用　　語	型枠の根巻き
用語の説明	型枠の移動防止や精度の確保，セメントペーストの漏れ防止などのために，型枠の建込みに先立って，下部に設けるもの。通常，木桟，金物，モルタル等で根巻きする。
施工上留意すべき内容	型枠の建込みの基準になるものであるから，正確にかつコンクリートの不陸に対しても隙間なく設置する。

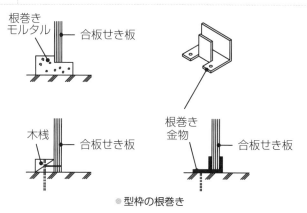

● 型枠の根巻き

用　　語	ジェットバーナー仕上げ
用語の説明	石材の表面仕上げの一種。ジェットバーナーで石材の表面を飛ばして，滑らかな凹凸状の表面に仕上げる方法。
施工上留意すべき内容	花崗岩（御影石）のみの仕上げに使用し，高温を加えるためには，石厚30mm以上が必要である。

用　　　語	テーパーエッジせっこうボードの継ぎ目処理
用語の説明	長辺方向にテーパーの付いたせっこうボードを使用して，目地なしの壁面をつくる工法。
施工上留意すべき内容	継目部分は，ジョイントテープやジョイントコンパウンドを用いて平らに仕上げる。

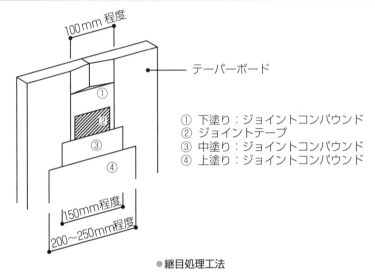

① 下塗り：ジョイントコンパウンド
② ジョイントテープ
③ 中塗り：ジョイントコンパウンド
④ 上塗り：ジョイントコンパウンド

●継目処理工法

用　　　語	天井インサート
用語の説明	天井下地材（吊ボルト等）を吊るために，コンクリート打設前に，あらかじめ型枠に留め付けておく袋ネジ形の金物。
施工上留意すべき内容	所定の荷重に対して，十分な引張強度をもつ形状のものを使用し，取付け位置を確認する。

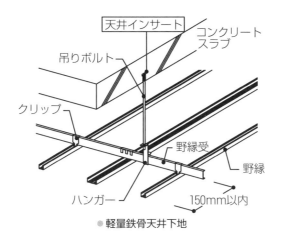

天井インサート
コンクリートスラブ
吊りボルト
クリップ
野縁受
野縁
ハンガー
150mm以内

● 軽量鉄骨天井下地

用　　　語	腹筋
用語の説明	梁の配筋において，梁せいが大きい場合に，あばら筋のズレや変形を防ぐために設ける補助鉄筋で，上下の主筋の間に入れる。
施工上留意すべき内容	梁せいが600mm以上の場合に，300mm程度ごとに1対設け，あばら筋全数と緊結し，幅止め筋で梁幅を確保する。

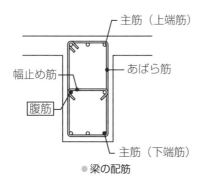

主筋（上端筋）
幅止め筋
あばら筋
腹筋
主筋（下端筋）

● 梁の配筋

用　　　語	防護棚（養生朝顔）
用語の説明	建築物の仮設工事において，落下物を防ぐために足場から斜めに突き出した防護棚。
施工上留意すべき内容	はね出し長さは2m以上とし，水平面となす角度は20度以上とする。また，強風に耐える構造とする。

防護棚の主な規定	
防護棚の設置	工事場所が地上10m以上の場合：1段以上　20m以上の場合：2段以上
地上第1段目の防護	地上から4〜5m
2段目以上	下の段より10m以下
突き出し	2m以上
水平面となす角度	20度以上
材料（敷板）地上第1段目の防護棚	・木材の場合：厚さ30mm程度　・鉄板：厚さ1.6mm以上

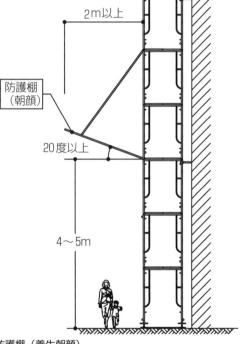

●防護棚（養生朝顔）

用　　語	ガラス工事のセッティングブロック
用語の説明	サッシの溝底とガラスが接触するのを防止するために，溝内に設置する副資材。
施工上留意すべき内容	ガラスの横幅寸法の１／４の位置に２箇所設置する。

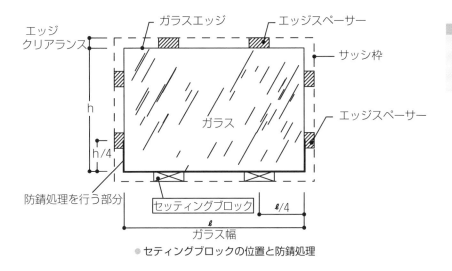

● セティングブロックの位置と防錆処理

用　　語	脱気装置
用語の説明	露出絶縁工法の防水層の一部に取り付け，防水下地の湿気を外部に排出する装置で，膨れを抑える効果がある。
施工上留意すべき内容	脱気装置によって水分の排出能力が異なるので，設置数量等は製造業者の指定する脱気層を配置する。

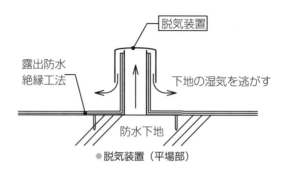

脱気装置

露出防水
絶縁工法

下地の湿気を逃がす

防水下地

● 脱気装置（平場部）

用　　　語	鉄骨工事の仮ボルト
用語の説明	鉄骨の建て方時において，高力ボルトの本締めまでの間，架構の変形・倒壊を防ぐために使用する仮のボルト。
施工上留意すべき内容	本締めまでの予想される外力に対して安全なように，1群に対して所定の本数以上を締める。

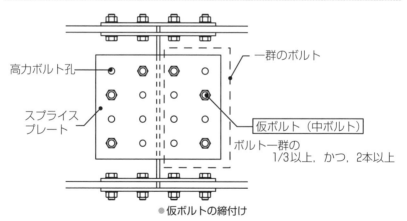

高力ボルト孔

スプライス
プレート

一群のボルト

仮ボルト（中ボルト）

ボルト一群の
1/3以上，かつ，2本以上

● 仮ボルトの締付け

用　　語	床付け
用語の説明	砂利の敷き込みや捨てコンンクリート打ちなどの地業工事ができるように，根切り底までの深さに掘りそろえること。
施工上留意すべき内容	床付け面は，地盤を荒らさないように留意する。機械掘りの場合は，床付け面より浅い位置で止め，その後はレベルをチェックしながら手掘りで行う。

用　　語	ブリーディング（ブリージング）
用語の説明	コンクリート打設後，フレッシュコンクリートにおいて，練混ぜ水の一部が分離して上方に移動する現象のこと。
施工上留意すべき内容	ブリーディングによって生じた収縮ひび割れは，コンクリート打込み後，凝結が終了する前に，タンパーによるタンピングを十分に行う。

用　　語	木工事の仕口
用語の説明	木材を切削加工して接合する場合，2つ以上の部材をある角度をもって接合する部分をいう。
施工上留意すべき内容	部材断面の切り欠きは材を弱めないようにし，仕口は確実に密着させて，すき間のないように接合する。

第3章

施工管理法

用　　語	陸墨
用語の説明	水平を示すために，建物などの壁に打つ墨出しのこと。
施工上留意すべき内容	床や開口部の位置，天井の高さなどを決めるための基準として利用する。

建築，躯体，仕上げに関係なく，どの用語を選択してもよいです。

2 ネットワーク工程表・バーチャート工程表

要点の整理と理解 📝

1 ネットワーク工程表に関する基本事項

理解しよう！

●ネットワーク工程表の用語と意味・計算等

用　語	記　号	意味・計算等
作業 （アクティビティ）	——————▶	ネットワークを構成する作業単位。
結合点（イベント）	——▶○——▶	作業またはダミーを結合する点，及び工事の開始点又は終了点。
ダミー	− − − − − ▶	作業の前後関係を図示するために用いる矢線で，時間の要素は含まない。
クリティカルパス	CP	最初の作業から最後の作業に至る最長の経路。 トータルフロートが最小の経路。 　　　　　　　　　（TF＝0 の経路） クリティカルパス上の工事が遅れると，全体工期が延びてしまう。
最早開始時刻	EST	作業を始めうる最も早い時刻。 　　　　　　（本書：「△」で表示）
最早終了時刻	EFT	作業を完了しうる最も早い時刻。・最早開始時刻にその作業の所要時間を加えたもの。 　　　　　（本書：「△＋日数」で計算）
最遅開始時刻	LST	対象行為の工期に影響のない範囲で作業を最も遅く開始してもよい時刻。 最遅終了時刻からその作業の所要時間を引いたもの。 　　　　　（本書：「□－日数」で計算）
最遅終了時刻	LFT	最も遅く終了してよい時刻。 　　　　　（本書：「□」で表示）

用　語	記　号	意味・計算等
フロート	F	作業の余裕時間。
トータルフロート	TF	作業を最早開始時刻で始め，最遅終了時刻で終わらせて存在する余裕時間。 1つの経路上で，任意の作業が使い切ればその経路上の他の作業のTFに影響する。 　　　（本書：「□−（△＋日数）」で計算）
フリーフロート	FF	作業を最早開始時刻で始め，後続する作業も最早開始時刻で初めても，なお存在する余裕時間。 その作業の中で自由に使っても，後続作業に影響を及ばさない。 　　　（本書：「△−（△＋日数）」で計算）
デペンデントフロート	DF	後続作業のトータルフロートに影響を及ぼすようなフロートのこと。 DF＝TF−FF

問題11

図に示すネットワーク工程表について，次の1．から3．の問いに答えなさい。

なお，○内の数字はイベント番号を，実線の矢線は作業を，破線の矢線はダミーを示し，矢線の上段のアルファベットは作業名を，下段の数値は所要日数を示すものとする。

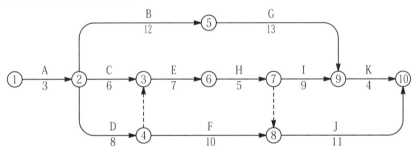

1．工程表において，**クリティカルパス**を**作業名**で工程順に並べて答えなさい。

2．工程の再検討を行ったところ，イベント番号⑥から⑤への所要日数2日の新たな作業Lが発生した。この時の①から⑩までの**総所要日数**を答えなさい。

3．新たな作業Lが**発生する前**と**発生した後**の作業Bの**フリーフロート**をそれぞれ**日数**で答えなさい。

① **最早開始時刻（EST）を計算します。**

・最初のイベント番号の右上に $\triangle{0}$ を記入し，最初の作業の最早開始時刻
とします。（以後の，最早開始時刻は，△の中に日数を記入します。）

・イベント番号の若い順に，△（**最早開始時刻**）と所要日数との和を記入
します。これが，各作業の最早開始時刻となります。

・2本以上の矢線がイベントに**流入するとき**は，そのうちの**最大値**を最早
開始時刻とします。
このようにして，計算した結果が次の図です。

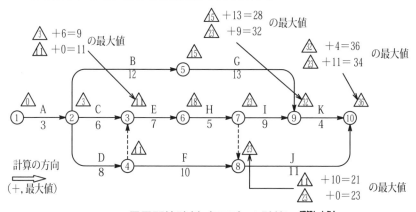

最早開始時刻（EST）の計算 理解しよう！

② **最遅終了時刻（LFT）を計算します。**

・最終イベントの $\triangle{36}$ の工期の値を $\boxed{36}$ と記入します。（以後の，最遅終
了時刻は，□の中に日数を記入します。）

・イベント番号の古い順に，□（**最遅終了時刻**）から所要日数を引き算し
ます。これが，前のイベントの最遅終了時刻になります。

- 1つのイベントから2本以上の矢線が**流出しているとき**，そのうちの**最小値**を最遅終了時刻とします。

このようにして，計算した結果が次の図です。

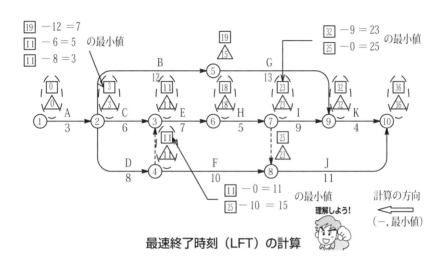

最速終了時刻（LFT）の計算

1. **クリティカルパスは**，△と□内の数字が同じであるイベント番号をたどっていきます。下記のように，経路が2以上となる場合は，**最も長い経路（工期に相当する経路）**とします。

　　したがって，クリティカルパスは，経路2の所要工期が36日のルートで，作業名で工程順には，A→D→E→H→I→K となります。

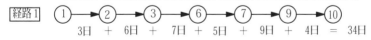

経路1　①→②→③→⑥→⑦→⑨→⑩
　　　3日 + 6日 + 7日 + 5日 + 9日 + 4日 = 34日

経路2　①→②→④┈→③→⑥→⑦→⑨→⑩
　　　3日 + 8日 + 0日 + 7日 + 5日 + 9日 + 4日 = 36日

2. **イベント番号⑥から⑤への所要日数2日の新たな作業Lが発生した場合の最早開始時刻を計算します。**

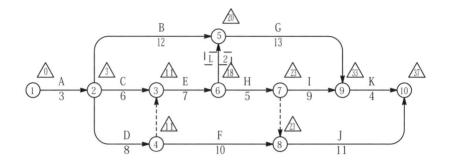

総所要日数は，⟨37⟩日となります。

総所要日数（全体工期）を求める場合は，最早開始時刻（△）の計算のみでよい。

3．イベント番号⑥から⑤への所要日数2日の新たな作業Lが発生した場合の**最遅終了時刻を計算**します。（フリーフロートの場合は，直接関連しませんが，計算しておきます。）

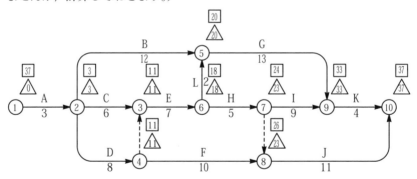

・**発生する前のフリーフロート**は，⟨15⟩－（⟨3⟩＋12）＝**0日**です。

理解しよう!

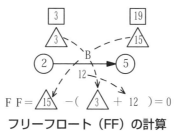

フリーフロート（FF）の計算

・発生した後のフリーフロートは，$\triangle{20}$ －（$\triangle{3}$＋12）＝**5日**です。

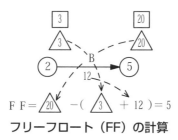

フリーフロート（FF）の計算

解　答

1.	クリティカルパス	A→D→E→H→I→K
2.	総所要日数	37日
3.	発生する前のフリーフロート	0日
	発生した後のフリーフロート	5日

問題12

　図に示すネットワーク工程表ついて，次の1．から3．の問いに答えなさい。

　なお，○内の数字はイベント番号，矢線の上段のアルファベットは作業名，下段の数値は所要日数を示す。

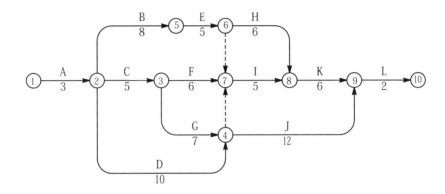

1．工程表において，①から⑩までの**総所要日数**を答えなさい。

2．工程表において，作業Cと作業Dがそれぞれ3日間遅延したときの**クリティカルパス**を作業名で工程順に並べて答えなさい。

3．工程表において，作業Cと作業Dがそれぞれ3日間遅延したとき，①から⑩までの総所要日数を当初と同じ日数とするために，作業Iと作業Jの作業日数のみを短縮する場合，作業Iと作業Jは，それぞれ**最小限何日間短縮**すればよいか答えなさい。

1．【問題11】の【解説】を参照して，**最早開始時刻を計算**します。

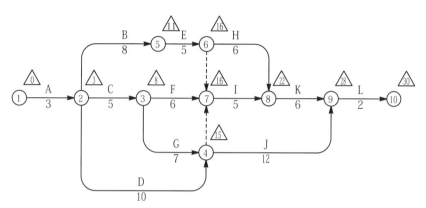

したがって，①から⑩までの**総所要日数**は，△30 日です。

2．【問題11】の【解説】を参照して，作業Cと作業Dがそれぞれ3日間遅延した場合の**最早開始時刻と最遅終了時刻を計算**します。

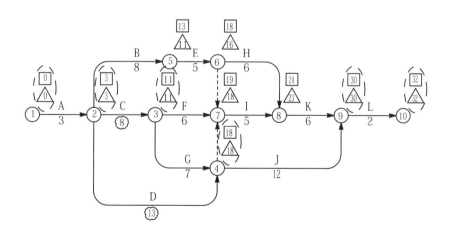

　クリティカルパスは，△と□内の数字が同じであるイベント番号をたどっていきます。クリティカルパスは，経路1の所要工期が32日のルートで，作業名で工程順には，**A→C→G→J→L** となります。

経路1
3日 + 8日 + 7日 + 12日 + 2日 = 32日

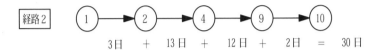

経路2
3日 + 13日 + 12日 + 2日 = 30日

3．作業Iの経路と作業Jの経路の所要日数を求めます。

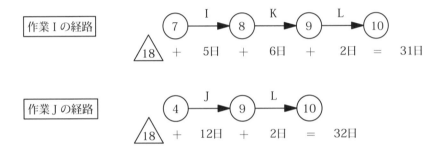

作業Iの経路
18 + 5日 + 6日 + 2日 = 31日

作業Jの経路
18 + 12日 + 2日 = 32日

したがって，**当初と同じ日数（30日）**とするためには，作業Iを1日，作業Jを2日短縮すればよいです。

解 答

1.	総所要日数		30日
2.	クリティカルパス		A→C→G→J→L
3.	作業Iの短縮日数		1日
	作業Jの短縮日数		2日

●時刻とフロートの計算

必ず覚えよう!

最早開始時刻	「△」で表示
最早終了時刻	「△＋日数」で計算
最遅開始時刻	「□－日数」で計算
最遅終了時刻	「□」で表示
トータルフロート	「□－（△＋日数）」で計算
フリーフロート	「△－（△＋日数）」で計算

図に示すネットワーク工程表について，次の1．から3．の問いに答えなさい。

なお，○内の数字はイベント番号，矢線の上段のアルファベットは作業名，下段の数値は所要日数を示す。

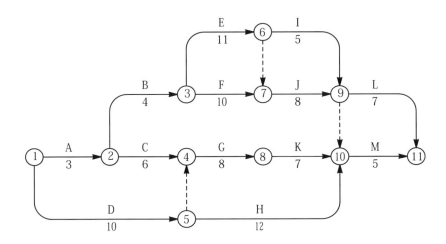

1．工程表において，**クリティカルパス**を，**作業名**で工程順に並べて答えなさい。

2．工程表において，作業Hの **EFT（最早終了時刻）** と **フリーフロート** をそれぞれ**日数**で答えなさい。

3．工程表において，作業Dと作業Kがそれぞれ3日間遅延したときの①から⑪までの**総所要日数**を答えなさい。

1．【問題11】の【解説】を参照して，**最早開始時刻**と**最遅終了時刻**を計算します。

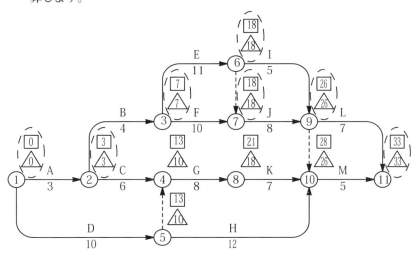

　クリティカルパスは，△と□内の数字が同じであるイベント番号をたどっていきます。下記のように，経路が 2 以上となる場合は，**最も長い経路（工期に相当する経路）**とします。

　したがって，クリティカルパスは，経路 2 の所要工期が33日のルートで，作業名で工程順には，**A→B→E→J→L** となります。

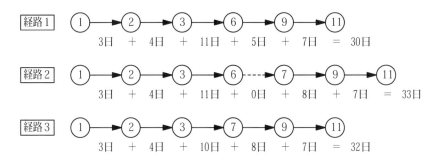

2．作業 H の **EFT（最早終了時刻）**は， <u>⑩</u> ＋12＝**22日**です。

第**3**章

施工管理法

作業 H の**フリーフロート**は，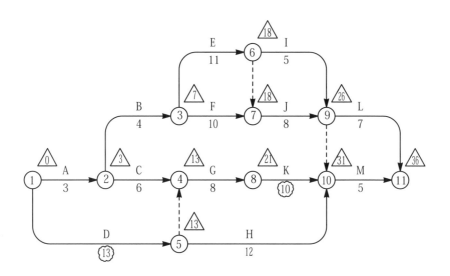26 −（10 ＋12）＝ **4 日**です。

3．作業 D と作業 K がそれぞれ 3 日間遅延したときの**最早開始時刻を計算**します。

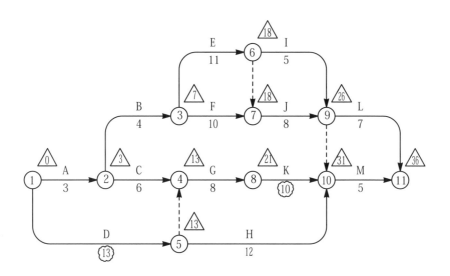

上記の計算結果から，**総所要日数**は，36 日となります。

解　答

1．	クリティカルパス	A→B→E→J→L
2．	EFT（最早終了時刻）	22日
	フリーフロート	4 日
3．	総所要日数	36日

問題14

　図に示すネットワーク工程表について，次の1．から3．の問いに答えな
さい。

　なお，○内の数字はイベント番号，矢線の上段のアルファベットは作業名，
下段の数値は所要日数を示す。

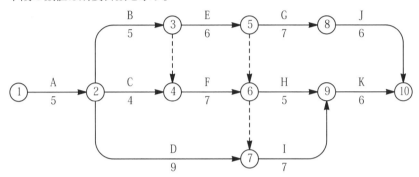

1．工程表において，①から⑩までの**総所要日数**を答えなさい。

2．工程表において，作業Jの**LST（最遅開始時刻）**と作業Gの**トータ
ルフロート**をそれぞれ**日数**で答えなさい。

3．工程表において，作業Dと作業Gがそれぞれ2日間遅延したときの
クリティカルパスを，**作業名**で工程順に並べて答えなさい。

【問題11】の【解説】を参照して，**最早開始時刻**と**最遅終了時刻**を計算します。

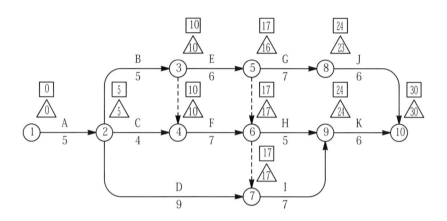

1．①から⑩までの総所要日数は， 30 日です。

2．作業 J の LST（最遅開始時刻）は， 30 － 6 ＝**24日**です。

また，作業 G のトータルフロートは， 24 －（16 ＋ 7 ）＝**1日**です。

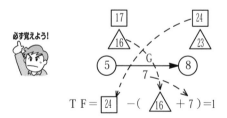

3．工程表において，作業Ｄと作業Ｇがそれぞれ２日間遅延したときの**最早開始時刻**と**最遅終了時刻**を求めます。

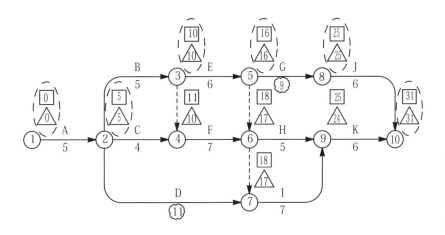

　上記の計算結果から，**クリティカルパス**は，△と□内の数字が同じであるイベント番号をたどっていきます。

　したがって，クリティカルパスは，**A→B→E→G→J** となります。

第3章

施工管理法

┌─ 解 答 ─────────────────────────

1.	総所要日数	30日
2.	LST（最遅開始時刻）	24日
	トータルフロート	1日
3.	総所要日数	A→B→E→G→J

図に示すネットワーク工程表について，次の1．から3．の問いに答えなさい。

なお，○内の数字はイベント番号，矢線の上段のアルファベットは作業名，下段の数値は所要日数を示す。

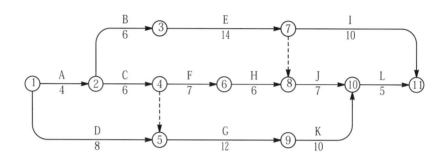

1．工程表において，①から⑪までの**総所要日数**を答えなさい。

2．工程表において，作業Hの**フリーフロート**は何日間であるか，**日数**で答えなさい。

3．工程表において，作業Eと作業Hがそれぞれ2日間遅延したときのクリティカルパスを，作業名で工程順に並べて答えなさい。

【問題11】の【解説】を参照して，**最早開始時刻**と**最遅終了時刻**を計算します。

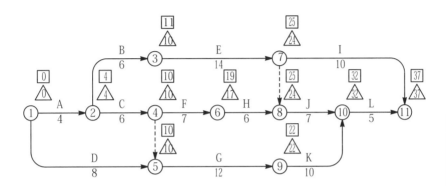

1．①から⑪までの総所要日数は，$\triangle{37}$ 日です。

2．作業Hのフリーフロートは，$\triangle{24}$ －（$\triangle{17}$ ＋6）＝**1日**です。

3．工程表において，作業Eと作業Hがそれぞれ2日間遅延したときの**最早開始時刻**と**最遅終了時刻**を求めます。

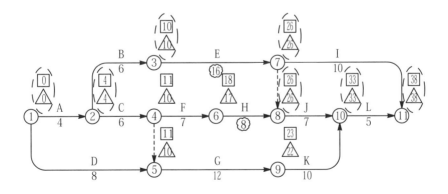

クリティカルパスは，△と□内の数字が同じであるイベント番号をたどっ

ていきます。下記のように，経路が2以上となる場合は，**最も長い経路（工期に相当する経路）** とします。

したがって，クリティカルパスは，経路2の所要工期が38日のルートで，作業名で工程順には，**A→B→E→J→L** となります。

経路1　①→②→③→⑦→⑪
　　　　4日 + 6日 + 16日 + 10日 = 36日

経路2　①→②→③→⑦‐‐‐⑧→⑩→⑪
　　　　4日 + 6日 + 16日 + 0日 + 7日 + 5日 = 38日

解　答

1.	総所要日数	37日
2.	フリーフロート	1日
3.	クリティカルパス	A→B→E→J→L

問題16

木造2階建て住宅の建設工事における次の工程表と出来高表に関し，次の1．から3．の問いに答えなさい。

なお，工程表は工事着手時点のものであり，予定出来高曲線を破線で表示している。

また，出来高表は3月末時点のものを示しているが，建具工事のうち外部アルミニウム製建具の出来高及び総工事金額の月別出来高は，記載していない。

〔工事概要〕

用　　　途：住宅

構造・規模：木造在来軸組工法　2階建て　延べ面積100m²

基　　　礎：ベタ基礎

仕　上　げ：屋根は，住宅屋根用化粧スレート張り

外壁は，塗装窯業系サイディングボード張り

内装は，壁天井ともせっこうボード下地クロス仕上げ

床はフローリング仕上げ

1．工程表の仮設工事の **A** に該当する作業名を記述しなさい。

2．建具工事における外部アルミニウム建具の取付け作業の工程は，未記入となっている。適当な工程となるように，取付け作業の**開始日**を月次と旬日で定めて，記入しなさい。

ただし，**解答の旬日は，上旬，中旬，下旬**とする。

3．出来高表から，総工事金額に対する3月末までの**完成出来高の累計**をパーセントで記入しなさい。

第3章　施工管理法

工程表

月次 / 工種	1月	2月	3月	4月	5月	出来高 100%
仮設工事	準備工事 A			外部足場解体	清掃 検査	
土工事・基礎工事	根切り 埋戻し / 鉄筋・型枠・コンクリート					
木工事	木材下ごしらえ	建方・屋根下地・床・間仕切壁・天井下地 / 外壁下地取付け	和室造作他	予定出来高曲線		
屋根工事		屋根用化粧スレート張り				
外壁工事		サイディングボード取付け				50%
建具工事				木製建具取付け		
内装・雑工事			天井ボード張り フローリング張り・床仕上げ / 壁ボード張り 壁・天井クロス張り			
住宅設備工事		ユニットバス設置	家具等取付け / 洗面台・システムキッチン取付け			
電気工事		配線		器具取付け		
給排水設備工事		配管		器具取付け		0%

出来高表　　　　　　　　　　　　　　　　単位　万円

工種	工事金額	予定/実績	1月	2月	3月	4月	5月
仮設工事	100	予定	50			40	10
		実績	50				
土工事・基礎工事	100	予定	100				
		実績	100				
木工事	500	予定	50	200	200	50	
		実績	50	200	170		
屋根工事	100	予定		100			
		実績		100			
外壁工事	200	予定		200			
		実績		200			
建具工事	200	予定				50	50
		実績					
内装・雑工事	400	予定			200	200	
		実績			150		
住宅設備工事	200	予定		50	50	100	
		実績		50	50		
電気工事	100	予定			50		50
		実績			50		
給排水設備工事	100	予定			50		50
		実績			50		
総工事金額	2,000	予定					
		実績					

1．仮設工事において4月に**外部足場解体**の作業があることから，Aに該当する作業名は，**外部足場組立**です。

2．外部アルミニウム建具枠の取付け作業は，2月中旬の**外壁下地取付け後**で，2月下旬の**サイディングボード取付け前**に行います。したがって，開始日は**2月中旬**が適当な工程です。

3．出来高表から3月までの実績金額を累計しますが，**建具工事においては2月に実績金額を加える**必要があります。

3月末までの完成出来高表

単位：万円

工　種	工事金額	1月	2月	3月
仮設工事	100	50		
土工事・基礎工事	100	100		
木工事	500	50	200	170
屋根工事	100		100	
外壁工事	200		200	
建具工事	200		**100**	
内装・雑工事	400			150
住宅設備工事	200		50	50
電気工事	100		50	
給排水設備工事	100		50	
総工事金額	2,000	200	750	370

上記の表から，完成出来高の累計のパーセントは，

$$\frac{200+750+370}{2000}\times100=\textbf{66\%}です。$$

1.	Aに該当する作業名	外部足場組立
2.	開始日	2月中旬
3.	完成出来高の累計	66%

問題17

鉄骨造3階建て事務所ビルの建設工事における次の工程表と出来高表に関し，次の1．から3．の問いに答えなさい。

工程表は工事着手時点のものであり，予定出来高曲線を破線で表示している。

また，出来高表は，4月末時点のものを示している。

ただし，鉄骨工事における耐火被覆の工程は未記入であり，総工事金額の月別出来高及びスタッド溶接と耐火被覆の出来高は記載していない。

〔工事概要〕

用　　　途：事務所

構造・規模：鉄骨造　地上3階建て　延べ面積450m²

基　　　礎：直接基礎

山　留　め：自立山留め

鉄　骨　工　事：建方は，移動式クレーンにて行う。

　　　　　　　耐火被覆は，耐火材巻付け工法，外周部は合成工法

仕　　上　　げ：屋根は，合成高分子系ルーフィングシート防水

　　　　　　　外壁は，ALC パネル張り，仕上塗材仕上げ

　　　　　　　内装は，壁，天井は軽量鉄骨下地せっこうボード張り

　　　　　　　床はフリーアクセスフロア，タイルカーペット仕上げ

1．工程表の土工事・基礎工事の **A** に該当する作業名を記述しなさい。

2．耐火被覆作業の**開始日**を月次と旬日で定めて記入しなさい。
　　ただし，**解答の旬日は，上旬，中旬，下旬**とする。

3．出来高表から，総工事金額に対する4月末までの**完成出来高の累計**をパーセントで記入しなさい。

工 程 表

月次\工種	1月	2月	3月	4月	5月	6月	出来高 %
仮 設 工 事	準備工事	外部足場組立			外部足場解体	清掃	100
土工事・基礎工事	自立山留め　砂利・捨コンクリート　A						90
鉄筋・型枠コンクリート工事	基礎・地中梁	1F床　1F柱脚	2F床 RF床　3F床				80
鉄 骨 工 事	アンカーボルト設置	鉄骨建方・本締め	デッキプレート敷き　スタッド溶接				70
防 水 工 事			外部シール	屋根シート防水			60
外 壁 工 事			ALCパネル取付け	仕上塗材仕上げ			50
建 具 工 事			外部サッシ取付け (ガラス共)	内部建具取付け			40
金 属 工 事			壁軽量鉄骨下地組	アルミ笠木取付け　天井軽量鉄骨下地組			30
内 装 工 事				壁ボード張り　天井ボード張り	フリーアクセスフロア	床仕上げ	20
塗 装 工 事					壁塗装仕上げ		10
設 備 工 事	電気・給排水・空調設備他						0
備 考		中間検査				検査	

予定出来高曲線

出 来 高 表

単位　万円

工　種	工事金額	予定/実績	1月	2月	3月	4月	5月	6月
仮 設 工 事	400	予定	50	100	50	50	100	50
		実績	50	100	50	50		
土工事・基礎工事	550	予定	550					
		実績	550					
鉄筋・型枠コンクリート工事	800	予定	400	150	250			
		実績	400	300				
鉄 骨 工 事	1,100	予定		900				
		実績		900				
防 水 工 事	100	予定				100		
		実績				100		
外 壁 工 事	600	予定			550	50		
		実績			550	50		
建 具 工 事	500	予定			200	300		
		実績			200	300		
金 属 工 事	200	予定				200		
		実績				200		
内 装 工 事	650	予定				200	250	200
		実績				200		
塗 装 工 事	100	予定					100	
		実績						
設 備 工 事	1,000	予定	50	50	150	350	300	100
		実績	50	50	150	250		
総 工 事 金 額	6,000	予定						
		実績						

1．土工事・基礎工事において，**自立山留め後に行う作業で，砂利・捨コンクリート**までに行う作業であることから，Aに該当する作業名は，**根切り**です。

2．耐火被覆作業は，3月中旬の**RF床**コンクリート打設後で，4月上旬の**壁軽量鉄骨下地組**までに完了しておく必要があります。したがって，開始日は**3月中旬（下旬）**が適当な工程です。

3．出来高表から4月末までの実績金額を累計しますが，**鉄骨工事（耐火被覆作業）においては3月に実績金額を加える**必要があります。

4月末までの完成出来高表（実績金額）

単位：万円

工　種	工事金額	1月	2月	3月	4月
仮設工事	400	50	100	50	50
土工事・基礎工事	550	550			
鉄筋・型枠コンクリート工事	800	400	100	300	
鉄骨工事	1,100		900	**200**	
防水工事	100				100
外壁工事	600			550	50
建具工事	500			200	300
金属工事	200				200
内装工事	650				200
塗装工事	100				
設備工事	1,000	50	50	150	250
総工事金額	6,000	1,050	1,150	1,450	1,150

上記の表から，完成出来高の累計のパーセントは，

$$\frac{1050+1150+1450+1150}{6000}\times100=\underline{\textbf{80\%}}です。$$

解　答

1.	A に該当する作業名	根切り
2.	開始日	3月中旬（下旬）
3.	完成出来高の累計	80%

3 施工管理（躯体・仕上）

要点の整理と理解

※ ☐ の部分に、語句・数値を入れて整理しよう。

工事名	要　点
土工事・ 地業工事	・軟弱な粘性土地盤を掘削するとき、矢板背面の土の重量によって掘削底面内部に滑り破壊が生じ、底面が押し上げられてふくれ上がる現象を ① という。 ・掘削が大深度に及ぶ場合、床付け面の地盤ほど土かぶり分の重量が除去されるため、全体にはリバウンドと呼ばれる ② が起き、表面的にはゆるみが生じる。 ・掘削工事において、根切り底を深く掘りすぎたり、乱したりしたときには、 ③ や粘性土の場合は砂質土と置換して締め固めるなどによって、自然地盤と同程度の強度にする必要がある。 ・透水性の悪い山砂を埋戻し土に用いる場合の締固めは、建物躯体等のコンクリート強度が発現していることを確認のうえ、厚さ ④ 程度ごとにローラーやタンパーなどで締固める。入隅などの狭い箇所の締固めには、タンパーなどを使用する。 ・切梁工法は、山留め壁を切梁、腹起しなどの支保工によって支持し、根切りを進める工法で、敷地に大きな高低差がある場合、根切り平面が ⑤ な場合や大スパンの場合には採用が難しくなる。 ・プレボーリング拡大根固め工法は、掘削装置によって、杭径以上の根固め球根を築造するようにし、根固め液などを充填した掘削孔に杭を回転又は自沈で設置する、既製杭の ⑥ 工法である。 ・一般に、場所打ち杭のコンクリート打込みは、泥水中若しくは安定液中で行われる。コンクリート中に泥水・安定液を巻き込まずに良質なコンクリートを打ち込むために ⑦ 管を使用する。
鉄筋工事	・鉄筋コンクリート構造に用いられる鉄筋には、丸鋼と異形鉄筋があり、鉄筋とコンクリートの ① 強度は、異形鉄筋の方が丸鋼より優れており、現在では異形鉄筋が主に使用されている。 ・鉄筋の組立てにおいて、鉄筋交差部の結束に用いる結束線は、通常太さ0.8mm〜0.85mm 程度の ② を使用するが、太径鉄

工事名	要　点
鉄筋工事	筋に対してはこれを2～3本束ねて用いる。 ・鉄筋の継手は，周辺コンクリートとの付着により鉄筋の応力を伝達する ③ 継手と，鉄筋の応力を直接伝達するガス圧接継手，溶接継手などに大別される。 ・異形鉄筋を用いる場合の鉄筋相互のあきの最小寸法は，隣り合う鉄筋の呼び名の数値を平均した値の1.5倍，粗骨材最大寸法の1.25倍，25mm のうち，最も ④ 数値とする。 ・大梁の鉄筋をガス圧接する場合は，圧接箇所ごとに鉄筋径程度の縮み代を見込んで切断又は加工しないと， ⑤ 寸法の不足や，直交部材の配筋のみだれを招くことになる。 ・鉄筋(SD345) のガス圧接継手において，同径の鉄筋を圧接する場合，圧接部のふくらみの直径は鉄筋径の ⑥ 倍以上とし，かつ，その長さを鉄筋径の1.1倍以上とする。 ・鉄筋のガス圧接継手部の超音波探傷法での抜取検査は，目視，スケール・外観検査用治具による圧接完了直後の外観の ⑦ 検査の結果が合格とされた圧接部を対象として行う。 ・鉄筋の圧接部における鉄筋中心軸の偏心量が規定値を超えた場合には，圧接部を切り取って ⑧ する。 ・地中梁筋が交差して配筋が密集している箇所に鉄骨のアンカーボルトを据え付ける際に，地中梁主筋とアンカーボルトが干渉する場合は，梁主筋を ⑨ か，アンカーボルトの位置を移動し鉄骨工作図に反映させる。 ・鉄筋に対するコンクリートのかぶり厚さは，構造体の耐久性，構造耐力， ⑩ を得るために必要であり， ⑪ を用いて確保する。
型枠工事	・型枠の設計において，変形量は，支持条件をどのように仮定するかでその結果が異なり，単純支持で計算したものは，両端固定で計算したものに比べてたわみは大きくなる。せき板に合板を用いる場合は転用などによる劣化のため，剛性の低下を考慮して， ① の設計となるように単純支持と仮定して計算する。 ・型枠工事における木製のせき板は，コンクリート ② の硬化不良などを防止するため，製材・乾燥及び集積などの際に，できるだけ直射日光にさらされないよう注意する。 ・型枠の構成部材としての ③ には，タイル張り，モルタル塗り，塗装などの仕上げと下地コンクリート面との接着力を低下させないものが要求される。

136

工事名	要 点
型枠工事	・型枠は，コンクリートの施工時の荷重，コンクリートの側圧，打込み時の振動や衝撃などに耐え，かつ打設後のコンクリートが所定の寸法許容差を超える ④ 又は誤差などを生じないように設計し，必要に応じて ⑤ 及び剛性について構造計算を行う。
コンクリート工事	・コンクリートの種類で，普通コンクリート，軽量コンクリート1種及び軽量コンクリート2種の種類分けは，コンクリートに使用する ① の種類に応じて分けたものである。 ・日本産業規格（JIS）に規定するコンクリートの圧縮強度試験のための供試体は，直径の2倍の高さをもつ円柱形とする。その直径は粗骨材の最大寸法の3倍以上，かつ， ② mm以上とする。 ・鉄筋コンクリート梁に，コンクリートの鉛直打継ぎ部を設ける場合の打継ぎ面は，コンクリート打込み前の打継ぎ部の処理が円滑に行え，かつ，新たに打ち込むコンクリートの締固めが容易に行えるものとし，主筋と ③ となるようにする。 ・コンクリートの練混ぜから打込み終了までの時間の限度は，原則として外気温か25℃未満のときは120分，25℃以上のときは ④ 分とする。 ・コンクリートの工事現場内運搬において，高所から縦形フレキシブルシュートを用いてコンクリートを打設する場合，その投入口と排出口との水平距離は，垂直方向の高さの ⑤ 倍以下とする。 ・寒中コンクリート工事における保温養生の一つとして行う ⑥ 養生は，打ち込まれたコンクリートをシートなどで覆い，コンクリートからの水分の蒸発と風の影響を防ぎ，コンクリートの冷却を遅らせるための簡易な養生方法であり，外気温から－2℃程度以上の時期の養生方法として有効である。 ・コンクリートの打込み日を含む旬の日平均気温が ⑦ を下回る期間に行うコンクリート工事は，コンクリート打込み後の養生期間にコンクリートが凍結するおそれのある時期に行われる寒中コンクリート工事として扱う。 ・コンクリートの調合強度に応じる水セメント比は，工事に使用するコンクリートの材料とほぼ同一の材料を用い， ⑧ 以外の性質が実際に使用するコンクリートとほぼ同一となるようにしながら，水セメント比を変化させて試し練りを行い，水セメント比と圧縮強度の相関関係を求めて，この相関関係から調合強度が得られる水セメント比とする。
鉄骨工事	・柱脚ベースプレートの支持方法であるベースモルタルの後詰め中

工事名	要　点
鉄骨工事	心塗り工法は，一般にベースプレートの面積が ① ，全面をベースモルタルに密着させることが困難な場合，また，建入れの調整を容易にするために広く使われている。 ・鉄骨のアンカーボルトのボルト頭部の出の高さは，特記がない場合は，2重ナット締めを行っても，ねじ山が外に ② 以上出ることを標準とする。 ・鉄骨工事における高力ボルト接合部の組立てにおいて，接合部の材厚の差等により，接合部に1mmを超える肌すきがある場合は， ③ プレートを用いて補う。 ・鉄骨工事の溶接において，予熱を行う主たる目的は，溶接後の冷却速度を ④ させて，冷却過程での溶解度の減少から鋼の中の水素の外部放出を容易にし，熱影響部の硬さも減少させることで，低温割れを防止することである。 ・鉄骨工事の高力ボルトによる摩擦接合において，摩擦面を ⑤ ブラスト又はグリットブラストにて表面あらさを50μmRz以上に処理すれば，赤錆は発生しなくてもよい。 ・高力ボルトの締付けは，ナットの下に座金を敷き，ナットを回転させることにより行う。ボルトの取付けに当たっては，ナット及び座金の裏表の向きに注意し，座金は，座金の内側面取り部が ⑥ となるように取り付ける。 ・鉄骨工事におけるトルシア形高力ボルトの締付け後の検査は，ボルトの ⑦ について，ピンテールの破断の確認，1次締め後に付したマークのずれによる共回り・軸回りの有無，ナット回転量の確認及びナット面から突き出したボルトの余長の過不足を目視で検査する。 ・検査の結果，ナットの回転とともにボルトも回転して，ピンテールが破断する ⑧ を生じているボルトなどは，新しいボルトセットと交換する。 ・鉄骨工事において，柱の建入れ検査は，柱に取り付けられた下げ振りのピアノ線又はトランシット視準点の位置を，柱の ⑨ について柱のフランジ又はウェブからの寸法で測定して倒れをみる。
防水工事	・アスファルト防水において，立上りのルーフィング類を平場と別に張り付ける場合は，平場のルーフィング類を張り付けた後，その上に重ね幅 ① mm程度とって張り重ねる。 ・改質アスファルトシート防水トーチ工法による平場のシート張付けは，プライマーの塗布・乾燥後，シートの ② 面及び下地

工事名	要　点
防水工事	・をトーチバーナーで十分あぶり，改質アスファルトを溶融させながら，平均に押し広げて密着させる。 ・シーリング工事において，鉄筋コンクリート外壁の打継ぎ目地，ひび割れ誘発目地，建具回り目地等で動きの小さい場合の目地構造は，□③□面接着を標準とする。
石・タイル工事	・大理石の仕上げは，主に粗磨き，水磨き，本磨きに区分され，一般に壁に使用する場合は本磨きを，床に使用する場合は□①□を用いる。 ・石材の表面仕上げのジェットバーナー仕上げは，石表面に□②□を短時間あて，表面を粗面に仕上げたものである。 ・外壁の陶磁器質タイルを密着張りとする場合，張付けモルタルの塗付け後，直ちにタイルをモルタルに押し当て，ヴィブラートを用いて張付けモルタルがタイル裏面全面に回り，タイル周辺からのモルタルの盛上りが，目地深さがタイル厚さの□③□となるように，ヴィブラートを移動しながら張り付ける。
屋根・金属工事	・金属板による折板葺きにおいて，重ね形の折板は，□①□ごとにタイトフレームに固定ボルト締めとし，折板の重ね部は緊結ボルトで締め付ける。緊結ボルトのボルト孔は，ボルト径より0.5mm を超えて大きくしないようにし，その間隔は□②□mm 程度とする。 ・硬質塩化ビニル樹脂製のたてどいを継ぐ場合は，専用の継手部品を用いて接着し，継いたといの長さが□③□m を超える場合は，エキスパンション継手を有効に設ける。 ・塔屋など普段は人が上がらない屋根には，パラペットの立上り部に□④□を取り付けることが望ましく，ルーフドレンからの排水が悪くなって雨水が溜まったときなどに□④□から排水することにより，雨水が屋内へ浸入しないようにする。
建具・ガラス工事	・セッティングブロックは，建具下辺のガラス溝内に置き，ガラスの自重を支え，建具とガラス小口との接触を防止し，かつ適当な□①□クリアランスとかかり代を確保することを目的とする。
塗装工事	・塗装工事における吹付け塗りは，スプレーガンを塗装面から30cm 程度離した位置で，塗装面に対して直角に向け，平行に動かし塗料を噴霧する。噴霧された塗料は，一般に□①□ほど密になりがちであるため，一列ごとに吹付け幅が1／3程度重なるように吹付け，塗膜が均一になるようにする。

第3章

施工管理法

3　施工管理（躯体・仕上）　　**139**

工事名	要　点
塗装工事	・塗装のエアレススプレー方式は，塗料自体に圧力を加えて，この圧力により霧化するため，エアスプレー方式よりも高粘度の塗装材料を霧化でき，　②　膜に仕上げられ，飛散ロスも少なく，効率的な施工ができる。 ・塗装作業中における塗膜の欠陥であるしわは，下塗りの乾燥が不十分のまま上塗りを行ったり，油性塗料を　③　塗りした場合に生じやすい。 ・建物内部壁面の塗装工事におけるローラーブラシ塗りでは，一般に，入隅など塗りにくい部分は，小ばけか専用ローラーを用い，他の部分より　④　に塗り付け，壁面全体にローラーマークをそろえて塗り付けていることを確認する。 ・塗装工事の各工程における塗料の塗付け量（kg／㎡）は，一般に，平らな面に実際に付着させる希釈　⑤　の塗料の質量で，施工ロスを含まない量を示す。 ・鉄鋼面の塗装素地調整から第一層目の塗装までの間隔は，一般に２時間以内が望ましく，また，鉄鋼面が　⑥　しないよう，施工場所の相対湿度が80％以下であることが望ましい。 ・塗装工事における塗料は原則として調合された塗料をそのまま使用する。ただし，そのまま使用することが困難な場合は，　⑦　面の粗密，吸水性の大小，気温の高低等に応じて，適正な　⑧　割合の範囲内で塗布に適するように調整することができる。 ・建築用仕上塗材仕上げの下地コンクリートの乾燥が不十分な場合には，塗膜の付着性の低下，塗膜表面へのエフロレッセンスの発生，　⑨　のはがれやふくれなどの原因となることがある。
左官工事	・セメントモルタル塗りの下塗りの調合は，上塗りより　①　調合とし，砂はひび割れ防止のため，こて塗り仕上げに支障のない限り大きい粒径のものを用いる。
内装工事	・軽量鉄骨壁下地において，コンクリート床，梁下及びスラブ下に固定するランナーは，両端部から50mm内側をそれぞれ固定し，中間部は900mm程度の間隔で固定する。また，ランナーの継手は，　①　とし，ともに端部より50mm内側を固定する。 ・鋼製壁下地において，スタッドの種類として65形，90形，100形などがあるが，一般に，これらはスタッドを取り付ける壁下地の　②　によって使い分ける。 ・一般に，軽量鉄骨天井下地工事において，天井ふところが1,500

工事名	要　点
内装工事	mm 以上ある場合には，縦横間隔 ③ mm 程度に吊りボルトの振れ止め補強を行う。 ・木製壁下地にせっこうボードを釘打ちにより張り付ける場合，使用する釘の長さは，ボード厚さの ④ 倍程度とする。釘打ち間隔は，ボード周辺部を100〜150mm，中間部を150〜200mm の間隔とし，釘頭がボード表面と平らになるよう打ち付ける。 ・せっこうボードの取付けにおいて，ボードを鋼製壁下地にねじ留めとする場合，鋼製下地の裏面に ⑤ mm 以上の余長が得られる長さのドリリングタッピンねじを用いる。 ・厚さ 4 〜 6 mm の天然木化粧合板の接着張りにおいて，合板の表面に釘穴を見せたくない場合には，接着剤にて合板を張り付けた後， ⑥ で目地部分を押さえる方法を用いる。 ・ ⑦ は，ボード類を壁・天井などに張るとき，突付けジョイント部，出隅・入隅部などに目地隠しや化粧カバー，押えなどとして用いる目地材である。 ・ ⑧ は，せっこうボード壁の出隅部のひび割れ，出隅部への衝突による損傷を防止するためのものである。 ・建物内部の木工事において，ボードや合板類などの壁の仕上げ面に取り付ける出入り口の枠，サッシの額縁などには，ボードや合板類が乾燥収縮によって，枠，額縁とのすき間などが生じないように小穴じゃくりや壁じゃくりなどの ⑨ をつける。 ・壁紙張りにおいて，表面についた接着剤や手あかなどを放置しておくと ⑩ の原因になるので，張り終わった部分ごとに直ちにふき取る。 ・ウイルトンカーペットをグリッパー工法で敷き込む場合，カーペットの張り仕舞いは， ⑪ 又はパワーストレッチャーでカーペットを伸展しながら ⑫ に引っ掛け，端はステアツールなどを用いて溝に巻き込むように入れる。
断熱工事	・木造住宅における防湿層付きフェルト状断熱材は，防湿層を ① 側に向けて取り付け，防湿層にきず，破れなどがある場合は，防湿テープで補修する。 ・断熱工事における硬質ウレタンフォームの吹付け工法は，その主な特徴として，窓回りなど複雑な形状の場所への吹付けが容易で，継ぎ目のない連続した断熱層が得られること，平滑な表面を ② こと，施工技術が要求されることなどがあげられる。 ・吹付け硬質ウレタンフォームの現場発泡断熱材による吹付け工法

工事名	要　点
断熱工事	は，目地のない連続した断熱層が得られ，曲面や窓枠回り等複雑な形状にも施工が容易であり，施工に際しては接着剤が ③ である。 ・鉄筋コンクリート造の建物の外壁室内側に発生する結露を防止するためには，断熱材として硬質ウレタンフォームを室内側に張り，室内の空気が温度の ④ コンクリート壁面と接触しないようにすることが大切である。
その他	・解体工事におけるカッター工法とは，ダイヤモンドを埋め込んだ円盤状の切刃（ブレード）を高速回転させて ① の部材を切断する工法で，床及び壁などの比較的薄い部材の切断に用いられる。 ・壁の内部結露の防止方法の１つは，壁体内部への室内の水蒸気の移動を防止することであり，このために設けられるのが ② 層である。 ・仕上工事の墨出しにおいては，水平・鉛直の基準線や各仕上面を床・柱・壁などに標示するが，仕上面を直接標示できない場合は， ③ 墨で標示する。

解　答

土工事・地業工事	① ヒービング	② 浮き上がり	③ シルト
	④ 300mm	⑤ 不整形	⑥ 埋込み
	⑦ トレミー		
鉄筋工事	① 付着	② 鉄線	③ 重ね
	④ 大きい	⑤ 定着	⑥ 1.4
	⑦ 全数	⑧ 再圧接	⑨ 移動させる
	⑩ 耐火性	⑪ スペーサー	
型枠工事	① 安全側	② 表面	③ せき板
	④ たわみ	⑤ 強度	
コンクリート工事	① 骨材	② 100	③ 直角
	④ 90	⑤ 1／2	⑥ 被覆
	⑦ 4℃	⑧ 圧縮強度	

鉄骨工事	① 大きく	② 3山	③ フィラー
	④ 遅く	⑤ ショット	⑥ 表
	⑦ 全数	⑧ 共回り	⑨ 上部及び下部
防水工事	① 150	② 裏	③ 3
石・タイル工事	① 水磨き	② バーナー	③ 1／2以下
屋根・金属工事	① 各山	② 600	③ 10
	④ オーバーフロー管		
建具・ガラス工事	① エッジ		
塗装工事	① 中央部	② 厚	③ 厚
	④ 先	⑤ 前	⑥ 結露
	⑦ 素地	⑧ 希釈	⑨ 塗膜
左官工事	① 富		
内装工事	① 突付け継ぎ	② 高さ	③ 1,800
	④ 3	⑤ 10	⑥ とんぼ釘
	⑦ ジョイナー	⑧ コーナービード	⑨ 溝
	⑩ しみ	⑪ ニーキッカー	⑫ グリッパー
断熱工事	① 室内	② 得にくい	③ 不要
	④ 低い		
その他	① 鉄筋コンクリート	② 防湿	③ 逃げ

試験によく出る問題 📋

問題18

　次の文章中，下線部の語句が**適当なものは○印**を，**不適当なものは適当な語句**を記入しなさい。

1．解体工事におけるカッター工法とは，ダイヤモンドを埋め込んだ円盤状の切刃（ブレード）を高速回転させて鉄筋コンクリートの部材を切断する工法で，床及び壁などの比較的薄い部材の切断に用いられる。

2．鉄筋の継手は，周辺コンクリートとの付着により鉄筋の応力を伝達する機械式継手と，鉄筋の応力を直接伝達するガス圧接継手，溶接継手などに大別される。

3．日本産業規格（JIS）に規定するコンクリートの圧縮強度試験のための供試体は，直径の2倍の高さをもつ円柱形とする。その直径は粗骨材の最大寸法の3倍以上，かつ，80mm以上とする。

4．鉄骨工事における柱脚ベースプレートの支持方法であるベースモルタルの後詰め中心塗り工法は，一般にベースプレートの面積が小さく，全面をベースモルタルに密着させることが困難な場合，また，建入れの調整を容易にするために広く使われている。

5．金属板による折板葺きにおいて，重ね形の折板は，各山ごとにタイトフレームに固定ボルト締めとし，折板の重ね部は緊結ボルトで締め付ける。緊結ボルトのボルト孔は，ボルト径より0.5mmを超えて大きくしないようにし，その間隔は900mm程度とする。

6．現場調合のセメントモルタルの練り混ぜは，機械練りを原則とし，セメントと細骨材を十分に空練りし，水を加えてよく練り合わせる。下塗りモルタルは，上塗りモルタルに比べ貧調合とし，こてで十分に押さえ，

こてむらなく塗り付ける。

7．塗装工事における吹付け塗りは，スプレーガンを塗装面から30cm程度離した位置で，塗装面に対して直角に向け，平行に動かし塗料を噴霧する。噴霧された塗料は，一般に<u>周辺部</u>ほど密になりがちであるため，一列ごとに吹付け幅が $\frac{1}{3}$ 程度重なるように吹付け，塗膜が均一になるようにする。

8．断熱工事における硬質ウレタンフォームの吹付け工法は，その主な特徴として，窓回りなど複雑な形状の場所への吹付けが容易で，継ぎ目のない連続した断熱層が得られること，平滑な表面を<u>得にくい</u>こと，施工技術が要求されることなどがあげられる。

解　説

1．解体工事における**カッター工法**は，ダイヤモンドを埋め込んだ円盤状の切刃（ブレード）を高速回転させて**鉄筋コンクリートの部材を切断**する工法です。低騒音機械の使用により，騒音を小さく抑えることができます。

2．鉄筋の継手には，重ね継手，ガス圧接継手，溶接継手，機械式継手があります。**重ね継手**は，鉄筋と周辺コンクリートとの**付着により効果が期待できます**。

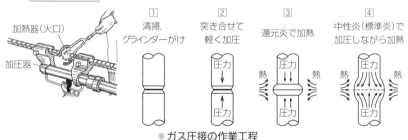

加熱器（火口）
加圧器

①　清掃，グラインダーがけ
②　突き合せて軽く加圧
③　還元炎で加熱
④　中性炎（標準炎）で加圧しながら加熱

圧力
圧力
熱　熱
熱　熱

●ガス圧接の作業工程

3．供試体成形用型枠は，供試体の**高さが直径の2倍**となる金属製円筒と

します。**直径**は粗骨材の最大寸法の３倍以上，かつ，**10cm 以上**とします。

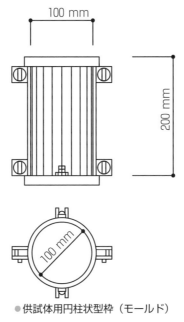

●供試体用円柱状型枠（モールド）

４．一般に，ベースモルタルの**後詰め中心塗り工法**は，**ベースプレートの面積が大きく**，全面をベースモルタルに密着させることが困難な場合に採用されます。

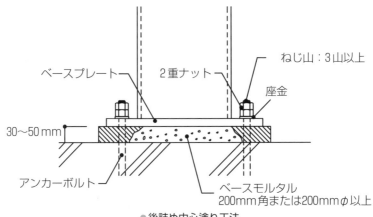

●後詰め中心塗り工法

5. 金属板による折板葺きにおいて，緊結ボルトのボルト孔は，ボルト径より0.5mm を超えて大きくしないようにし，その**間隔は流れ方向に600mm 程度**とします。

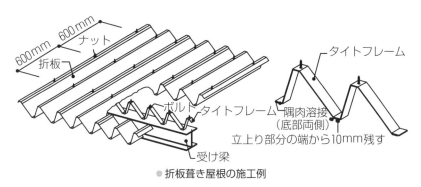

●折板葺き屋根の施工例

6. セメントモルタル塗りの工程は，（下地処理）→下塗り→（むら直し）→中塗り→上塗りの順序で行います。**下塗り**モルタルは，上塗りモルタルに比べ**富調合**（砂に対してセメントの容積比が大きいモルタル）とします。

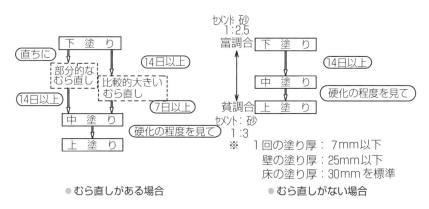

●むら直しがある場合　　　　　●むら直しがない場合

7. 吹付け塗りにおいて，スプレーガンは塗装面から**30cm 程度離した位置**で，塗り面に対して直角に向け，**平行に動かします**。塗料の噴霧は，**中央ほど密で周辺部は粗になりやすい**ため，1 列ごとに吹付け幅が，**約1／3 ずつ重なる**ように吹付けます。

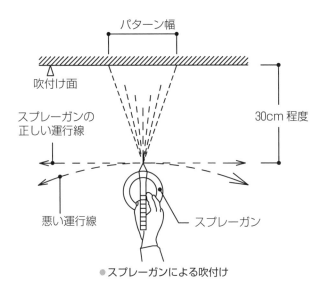

パターン幅

吹付け面

スプレーガンの
正しい運行線

30cm 程度

悪い運行線

スプレーガン

●スプレーガンによる吹付け

8. 断熱工事における硬質ウレタンフォームの**吹付け工法**は，一般的な外壁内面や屋根裏への施工に加え，断熱材を取付ける上で納まりが複雑となる開口部回りなどに採用されます。<u>継ぎ目のない連続した断熱層が得</u>られますが，**平滑な表面が得にくい**です。

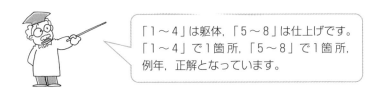

「1〜4」は躯体，「5〜8」は仕上げです。
「1〜4」で1箇所，「5〜8」で1箇所，
例年，正解となっています。

解　答

	○又は適当な語句		○又は適当な語句
1.	○	5.	600
2.	重ね	6.	富調合
3.	100	7.	中央部
4.	大きく	8.	○

問題19

　次の文章中，下線部の語句が**適当なものは○印**を，**不適当なものは適当な語句**を記入しなさい。

1．鉄筋コンクリート梁に，コンクリートの鉛直打継ぎ部を設ける場合の打継ぎ面は，コンクリート打込み前の打継ぎ部の処理が円滑に行え，かつ，新たに打ち込むコンクリートの締固めが容易に行えるものとし，主筋と<u>平行</u>となるようにする。

2．鉄筋(SD345) のガス圧接継手において，同径の鉄筋を圧接する場合，圧接部のふくらみの直径は鉄筋径の<u>1.2</u>倍以上とし，かつ，その長さを鉄筋径の1.1倍以上とする。

3．型枠の設計において，変形量は，支持条件をどのように仮定するかでその結果が異なり，単純支持で計算したものは，両端固定で計算したものに比べてたわみは大きくなる。せき板に合板を用いる場合は転用などによる劣化のため，剛性の低下を考慮して，<u>安全側</u>の設計となるように単純支持と仮定して計算する。

4．高力ボルトの締付けは，ナットの下に座金を敷き，ナットを回転させることにより行う。ボルトの取付けに当たっては，ナット及び座金の裏表の向きに注意し，座金は，座金の内側面取り部が<u>裏</u>となるように取り付ける。

5．アスファルト防水において，立上りのルーフィング類を平場と別に張り付ける場合は，平場のルーフィング類を張り付けた後，その上に重ね幅<u>100</u>mm 程度とって張り重ねる。

6．外壁の陶磁器質タイルを密着張りとする場合，張付けモルタルの塗付け後，直ちにタイルをモルタルに押し当て，ヴィブラートを用いて張付けモルタルがタイル裏面全面に回り，タイル周辺からのモルタルの盛上

りが，目地深さがタイル厚さの $\dfrac{1}{2}$ 以上となるように，ヴィブラートを移動しながら張り付ける。

7．塗装作業中における塗膜の欠陥であるしわは，下塗りの乾燥が不十分のまま上塗りを行ったり，油性塗料を薄塗りした場合に生じやすい。

8．ウイルトンカーペットをグリッパー工法で敷き込む場合，カーペットの張り仕舞いは，ニーキッカー又はパワーストレッチャーでカーペットを伸展しながらグリッパーに引っ掛け，端はステアツールなどを用いて溝に巻き込むように入れる。

| 解 説 |

1．鉛直打継ぎ部の打継ぎ位置は，スパンの中央または端から1／4付近に設け，打継ぎ部の形状は，打継ぎ面が鉄筋の軸方向に対して直角になるようにします。

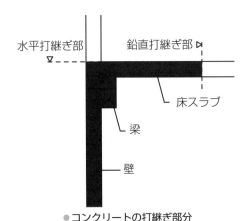

●コンクリートの打継ぎ部分

打継ぎ部分
・鉛直：スパンの中央，端から1／4付近
・水平：基礎，梁，床スラブの上端

2．圧接部のふくらみの**直径**は鉄筋径の**1.4倍以上**，**長さは鉄筋径の1.1倍以上**とします。

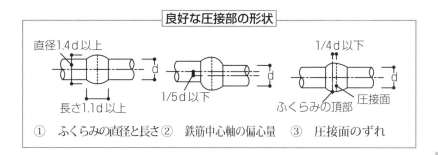

良好な圧接部の形状

直径1.4d以上

1/4d以下

長さ1.1d以上

1/5d以下

ふくらみの頂部　圧接面

① ふくらみの直径と長さ ② 鉄筋中心軸の偏心量 ③ 圧接面のずれ

3．**合板せき板**の構造計算は，原則として各支点間を**単純梁**として計算します。なお，合板以外の根太・大引などは，単純梁として計算した値と両端固定梁として計算した値の平均値とします。

4．ボルトの取付けに当たっては，ナット及び座金の裏表の向きに注意し，座金は，座金の内側**面取り部**が，**ナットに接する側**である**表**となるように取り付けます。

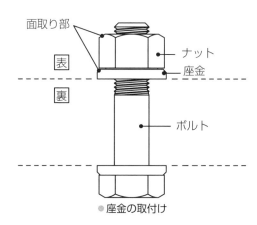

面取り部

表

裏

ナット

座金

ボルト

●座金の取付け

5. 立上りのルーフィング類は，平場のルーフィング類を切断することなく，連続して張り上げることを原則とします。別々に張り付ける場合は，**平場のルーフィング類を張り付けた後**，その上に立上りのアスファルトルーフィング類を**150mm 程度**重ねて張り付けます。

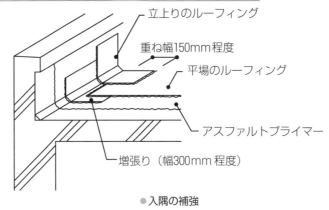

立上りのルーフィング

重ね幅150mm 程度

平場のルーフィング

アスファルトプライマー

増張り（幅300mm 程度）

● 入隅の補強

6. **目地の深さ**は，タイル厚さの $\frac{1}{2}$ **以下**となるようにします。

躯体

目地の深さ
タイル厚の1/2以下

目地の深さは，タイル表面からの凹みです。

● タイル目地の深さ

7. 「しわ」は，**厚塗りや乾燥時の温度上昇による表面の上乾き**などが原因で生じます。

●塗装の欠陥と主な原因・対策

欠　陥	原　因	対　策
はけ目	・塗料の希釈不足。	・希釈を適切にする。 ・均一になるように，はけを替えて塗り広げる。
だれ	・厚塗りし過ぎる場合。 ・希釈し過ぎる場合。 ・素地に全く吸込みのない場合。	・厚塗りしない。 ・希釈を控え，はけの運行を多くする。
しわ	・乾燥時に温度を上げて乾燥を促進すると上乾きし，しわが生じる。	・厚塗りを避ける。
白化	・湿度が高いときは塗り面が冷えて水が凝縮し，白化現象を起こす。	・湿度が高いときの塗装を避ける。
はじき	・素地に水又は油，ごみ等が付着している場合，塗料が均一に塗れない。	・素地調整を入念にする。 ・はけで十分に塗装すると，はじきの発生率が少なくなる。
色分かれ	・混合不十分の場合。	・十分に混合する。
つやの不良	・下地の吸込みが著しい。	・木部の場合，下塗り専用塗料で吸込みを止める。
ひび割れ	・時間の経過により塗膜の柔軟性が失われ，塗膜面の収縮膨張に応じて，ひび割れが生じる。	・下塗りが十分乾燥しないうちに上塗りをしない。 ・表面乾燥を起こすような厚塗りを避ける。

第3章

施工管理法

8．**カーペットの伸長作業**には，工具として**ニーキッカー**が使用されます。しかし，面積が広い場合や長い廊下など幅が狭い場合には，ニーキッカーでは不十分なため，**パワーストレッチャー**やリストレッチャーなどの工具を使用します。

	○又は適当な語句		○又は適当な語句
1.	直角	5.	150
2.	1.4	6.	以下
3.	○	7.	厚塗り
4.	表	8.	○

問題20

　次の文章中，下線部の語句が**適当なものは○印**を，**不適当なものは適当な語句**を記入しなさい。

1．透水性の悪い山砂を埋戻し土に用いる場合の締固めは，建物躯体等のコンクリート強度が発現していることを確認のうえ，厚さ<u>600mm</u> 程度ごとにローラーやダンパーなどで締固める。入隅などの狭い箇所の締固めには，ダンパーなどを使用する。

2．寒中コンクリート工事における保温養生の一つとして行う<u>被覆</u>養生は，打ち込まれたコンクリートをシートなどで覆い，コンクリートからの水分の蒸発と風の影響を防ぎ，コンクリートの冷却を遅らせるための簡易な養生方法であり，外気温が－2℃程度以上の時期の養生方法として有効である。

3．鉄筋のあきは，鉄筋とコンクリートの付着による応力の伝達が十分に行われ，コンクリートが分離することなく密実に打込まれるために必要なものである。異形鉄筋を用いる場合の鉄筋相互のあきの最小寸法は，隣り合う鉄筋の呼び名の数値を平均した値の1.5倍，粗骨材最大寸法の1.25倍，25mm のうち，最も<u>小さい</u>数値とする。

4．鉄骨工事におけるトルシア形高力ボルト締付け後の検査は，一次締め

後に付けたマーキングのずれとピンテールの破断などを確認する。検査の結果，ナットの回転とともにボルトも回転して，ピンテールが破断する軸回りを生じているボルトなどは，新しいボルトセットと交換する。

5．改質アスファルトシート防水トーチ工法による平場のシート張付けは，プライマーの塗布・乾燥後，シートの表面及び下地をトーチバーナーで十分あぶり，改質アスファルトを溶融させながら，平均に押し広げて密着させる。

6．軽量鉄骨壁下地において，コンクリート床，梁下及びスラブ下に固定するランナーは，両端部から50mm 内側をそれぞれ固定し，中間部は900mm 程度の間隔で固定する。また，ランナーの継手は，突付け継ぎとし，ともに端部より50mm 内側を固定する。

7．建物内部壁面の塗装工事におけるローラーブラシ塗りでは，一般に，入隅など塗りにくい部分は，小ばけか専用ローラーを用い，他の部分より後に塗り付け，壁面全体にローラーマークをそろえて塗り付けていることを確認する。

8．木製壁下地にせっこうボードを釘打ちにより張り付ける場合，使用する釘の長さは，ボード厚さの 2 倍程度とする。釘打ち間隔は，ボード周辺部を100〜150mm，中間部を150〜200mm の間隔とし，釘頭がボード表面と平らになるよう打ち付ける。

1. 埋戻しに砂質土を用いる場合は，通常，水締め工法を採用します。透水性の悪い山砂を埋戻し土に用いる場合は，<u>約30cm</u> ごとに水平にならし，転圧もしくは突固めを行います。

2. **被覆養生**は，養生マットや水密シートなどでコンクリートの露出面や型枠面を覆う養生方法です。打込まれたコンクリートから，直射日光や風などによる水分の蒸発を防ぎます。

3. 鉄筋相互のあきの最小寸法は，<u>次のうち**最も大きい数値**</u>とします。

・呼び名の数値の1.5倍
・粗骨材の最大寸法の1.25倍
・25mm

●鉄筋相互のあき

4. <u>ナットの回転とともにボルトも回転する場合</u>を**共回り**といいます。

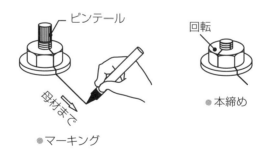

ピンテール

母材まで

●マーキング

回転

●本締め

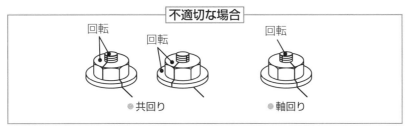

```
┌─────────── 不適切な場合 ───────────┐
│   回転            回転              回転    │
│                                          │
│                                          │
│   ●共回り                    ●軸回り      │
└──────────────────────────────────────┘
```

●高力ボルトの締付け

５．改質アスファルトシートの張付けは，<u>トーチ（ガスバーナー）によっ</u>
<u>て**シートの裏面**及び下地を均一にあぶり</u>，改質アスファルトを溶融させ
ながら丁寧に密着させます。また，シート相互の重ね幅は，長手・幅方
向とも**100mm 以上**として，**水下から水上に向かって**張り付けます。

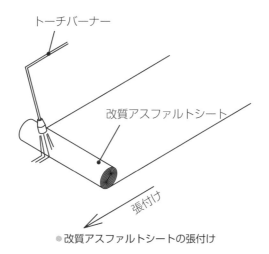

トーチバーナー

改質アスファルトシート

張付け

●改質アスファルトシートの張付け

６．ランナーは**端部から50mm 内側**を押さえ**間隔900mm 程度**に打込みピン
などで，床・梁下・スラブ下に固定します。また，ランナーの継手は
突付け継ぎとし，ともに端部より50mm 内側を固定します。

７．ローラーブラシ塗りは，塗料の含みがはけより多く，１回で広い面積
を塗装できます。一般に，**入隅など塗りにくい部分**は，小ばけなどを用
いて，<u>他の部分より**先に塗り付けます**</u>。

8．一般に，釘径は板厚の1／6以下とし，釘の長さは板厚の2.5倍以上とします。木下地で**せっこうボードを張付ける場合は，ボード厚の3倍程度**とします。

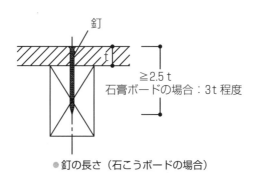

●釘の長さ（石こうボードの場合）

解　答

	○又は適当な語句		○又は適当な語句
1.	300	5.	裏面
2.	○	6.	○
3.	大きい	7.	先
4.	共回り	8.	3

問題21

次の文章中，下線部の語句が**適当なものは○印**を，**不適当なものは適当な語句**を記入しなさい。

1．切梁工法は，山留め壁を切梁，腹起しなどの支保工によって支持し，根切りを進める工法で，敷地に大きな高低差がある場合，根切り平面が<u>整形</u>な場合や大スパンの場合には採用が難しくなる。

2．コンクリートの練混ぜから打込み終了までの時間の限度は，原則として外気温か25℃未満のときは120分，25℃以上のときは<u>100分</u>とする。

3．鉄筋のガス圧接継手部の超音波探傷法での抜取検査は，目視，スケール・外観検査用治具による圧接完了直後の外観の全数検査の結果が<u>合格</u>とされた圧接部を対象として行う。

4．鉄骨工事における高力ボルト接合部の組立てにおいて，接合部の材厚の差等により，接合部に1mmを超える肌すきがある場合は，<u>スプライスプレート</u>を用いて補う。

5．大理石の仕上げは，主に粗磨き，水磨き，本磨きに区分され，一般に壁に使用する場合は本磨きを，床に使用する場合は<u>水磨き</u>を用いる。

6．セメントモルタル塗りの下塗りの調合は，上塗りより<u>貧調合</u>とし，砂はひび割れ防止のため，こて塗り仕上げに支障のない限り大きい粒径のものを用いる。

7．セッティングブロックは，建具下辺のガラス溝内に置き，ガラスの自重を支え，建具とガラス小口との接触を防止し，かつ適当な<u>面</u>クリアランスとかかり代を確保することを目的とする。

8．木造住宅における防湿層付きフェルト状断熱材は，防湿層を<u>室外</u>側に

向けて取り付け，防湿層にきず，破れなどがある場合は，防湿テープで
補修する。

1．切梁工法は，**切梁材を格子状に組む**ことによって水平面内の座屈を防
止するとともに，支柱を切梁の交点近くに設置して上下方向の座屈を防
ぎます。一般に，切梁の力の伝達が複雑となるような**不整形な平面形状**
の場合には採用しにくいです。

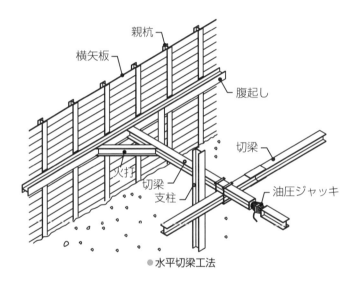

●水平切梁工法

2．コンクリートの時間管理において，コンクリートの練混ぜから打込み
終了までの時間は，外気温か25℃未満のときは120分，**25℃以上のとき**
は90分とします。

● コンクリートの時間管理

	外気温	
	25℃未満	25℃以上
打込み継続中における打重ね時間間隔 （コールドジョイントの対策）	150分以内	120分以内
練混ぜから打込み終了までの時間 （品質管理上の必要な時間）	120分以内	90分以内
・高強度コンクリート，高流動コンクリートの練混ぜから打込み終了までの時間については，外気温にかかわらず120分以内とする。		

3．外観検査は**全数検査**とし，超音波探傷法での抜取検査は**1検査ロットから30箇所**を検査対象とします。

● 鉄筋のガス圧接継手部の検査

種　類	概　要
外観検査	・圧接箇所全数について行う。・圧接部のふくらみの形状・寸法，中心軸の偏心量及び曲がり，圧接面のずれなどの欠陥の有無について行う。
超音波探傷試験 （非破壊検査）	・検査箇所：1組の作業班が1日に施工した圧接箇所を1検査ロットとし，1検査ロットに30箇所とする。 ・判定基準：不合格箇所が1箇所以下→合格。 　　　　　　不合格箇所が2箇所以上→不合格。 ・不合格となったロット：試験されていない残りの全数に対して超音波探傷試験を行う。
引張試験 （破壊検査）	・1検査ロットに対して3個以上の試験片を採取して行う。

4．接合母材の厚さの差による肌すきが**1mmを超える場合**には，**フィラープレート（はさみ板）**を挿入します。なお，スプライスプレート（添え板）は，部材の継手部分に添える接合用の板をいいます。

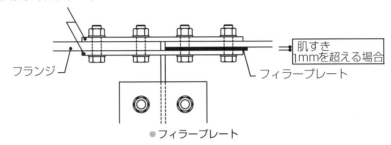

スプライスプレート

肌すき
1mmを超える場合

フランジ

フィラープレート

●フィラープレート

5．石材の**磨き仕上げ**は，粗磨き，水磨き，本磨きに区分され，一般に，**壁に使用する場合は本磨き**を，**床に使用する場合は粗磨き**，水磨きを用います。

6．【問題18】の【解説】の６を参照してください。
セメントモルタル塗りの**下塗りの調合**は，強度を大きくして付着力を高めるため，**上塗りより富調合（砂に対してセメントの容積比が大きいモルタル）**とします。

7．**セッティングブロック**は，サッシの溝底とガラスが接触するのを防止し，**エッジクリアランスとかかり代を確保**することを目的として使用されます。

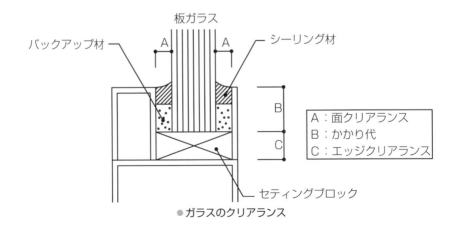

板ガラス

バックアップ材

シーリング材

A：面クリアランス
B：かかり代
C：エッジクリアランス

セティングブロック

●ガラスのクリアランス

8．防湿層付きフェルト状断熱材は，壁体内の結露を防ぐために，**防湿層を室内側**に向けて取り付けます。

解　答

	○又は適当な語句		○又は適当な語句
1．	不整形	5．	○
2．	90	6．	富調合
3．	○	7．	エッジ
4．	フィラー	8．	室内

問題22

　次の文章中，下線部の語句が**適当なものは○印**を，**不適当なものは適当な語句**を記入しなさい。

1．軟弱な粘性土地盤を掘削するとき，矢板背面の土の重量によって掘削底面内部に滑り破壊が生じ，底面が押し上げられてふくれ上がる現象を，<u>ボイリング</u>という。

2．鉄筋コンクリート梁に，コンクリートの鉛直打継ぎ部を設ける場合の打継ぎ面は，コンクリート打込み前の打継ぎ部の処理が円滑に行え，かつ，新たに打ち込むコンクリートの締固めが容易に行えるものとし，主筋と<u>平行</u>となるようにする。

3．コンクリートの打込み日を含む旬の日平均気温が<u>4℃</u>を下回る期間に行うコンクリート工事は，コンクリート打込み後の養生期間にコンクリートが凍結するおそれのある時期に行われる寒中コンクリート工事として扱う。

4．鉄骨工事におけるトルシア形高力ボルトの締付け後の検査は，ボルトの半数について，ピンテールの破断の確認，1次締め後に付したマークのずれによる共回り・軸回りの有無，ナット回転量の確認及びナット面から突き出したボルトの余長の過不足を目視で検査する。

5．アスファルト防水において，立上りのルーフィング類を平場と別に張り付ける場合は，平場のルーフィング類を張り付けた後，その上に重ね幅100mm程度をとって張り重ねる。

6．塗装工事の各工程における塗料の塗付け量（kg／㎡）は，一般に，平らな面に実際に付着させる希釈後の塗料の質量で，施工ロスを含まない量を示す。

7．鋼板製折板葺きにおいて，重ね形折板は，2山ごとにタイトフレームに固定ボルト締めとし，折板の流れ方向における重ね部に使用する緊結ボルトの間隔は，600mm程度とする。

8．ジョイナーは，ボード類を壁・天井などに張るとき，突付けジョイント部，出隅・入隅部などに目地隠しや化粧カバー，押えなどとして用いる目地材である。

解　説

1．**軟弱な粘性土地盤を掘削**する場合，**矢板背面の土の重量によって**掘削底面内部に滑り破壊が生じ，掘削底面が押上げられて膨れ上がる現象を**ヒービング**といいます。

　なお，**地下水位の高い砂質地盤を掘削**する場合，山留め壁の内外に大きな水位差が生じ，砂中を上向きに流れる水流圧力のために**砂粒がかきまわされて湧き上がる現象をボイリング**といいます。

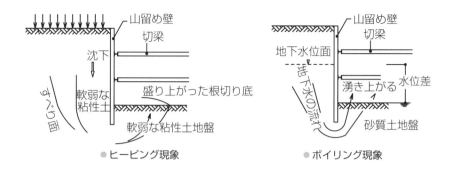

●ヒーピング現象 ●ボイリング現象

2.【問題19】の【解説】の1を参照してください。

3. **寒中コンクリート**は，コンクリート打込み日を含む旬の日平均気温が **4℃以下**となる期間に使用されるコンクリートです。

4. 締付け後の検査は，ボルトの**全数**について，次の項目の**目視検査**を行います。
 ・**ピンテールの破断**を確認する。
 ・1次締め後に付したマークのずれによる**共回り・軸回りの有無**，ナット回転量を確認する。
 ・ナット面から突き出したボルトの**余長（ねじ山が1〜6山）**の過不足を確認する。

5.【問題19】の【解説】の5を参照してください。

6. 塗料の**塗付け量（kg／m²）**は，一般に，平らな面に実際に付着させる希釈前の塗料の質量で，施工ロスを含みません。

7.【問題18】の5を参照してください。

8. **ジョイナー**とは，ボード類を張り仕上げるときの目地部に用いる棒状の化粧材で，金属製，プラスチック製などがあります。

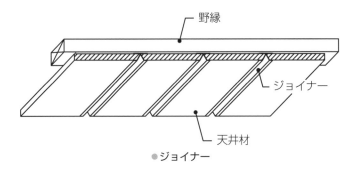

野縁

ジョイナー

天井材

●ジョイナー

解　答

	○又は適当な語句		○又は適当な語句
1.	ヒービング	5.	150
2.	直角	6.	前
3.	○	7.	各山
4.	全数	8.	○

問題23

　次の文章中，下線部の語句が**適当なものは○印**を，**不適当なものは適当な語句**を記入しなさい。

1．プレボーリング拡大根固め工法は，掘削装置によって，杭径以上の根固め球根を築造するようにし，根固め液などを充填した掘削孔に杭を回転又は自沈で設置する，既製杭の<u>打込み</u>工法である。

2．寒中コンクリート工事における保温養生として行う<u>被覆養生</u>は，シートなどでコンクリートの露出面，型枠面を覆い，打ち込まれたコンクリートからの水分の蒸発と風の影響を防ぐ，簡単な方法で，外気温が－2℃程度以上の時期の養生方法として有効である。

3．鉄筋のガス圧接継手において，同径の鉄筋を圧接する場合，圧接部の
ふくらみの直径は主筋等の径の1.2倍以上とし，かつ，その長さを主筋
等の径の1.1倍以上とする。

4．鉄骨工事における柱脚ベースプレートの支持工法であるベースモルタ
ルの後詰め中心塗り工法は，一般にベースプレートの面積が小さく，全
面をベースモルタルに密着させることが困難な場合，また，建入れの調
整を容易にするために広く使われている。

5．改質アスファルトシート防水トーチ工法によるシートの張付けは，プ
ライマーの塗布・乾燥後，シートの表面及び下地をトーチバーナーで十
分にあぶり，改質アスファルトを溶融させながら，下地にていねいに密
着させる。

6．塗装作業中における塗膜の欠陥であるしわは，下塗りの乾燥が不十分
のまま上塗りを行ったり，油性塗料を薄塗りした場合に生じやすい。

7．せっこうボードの取付けにおいて，ボードを鋼製壁下地にねじ留めと
する場合，鋼製下地の裏面に10mm 以上の余長が得られる長さのドリリ
ングタッピンねじを用いる。

8．吹付け硬質ウレタンフォームの現場発泡断熱材による吹付け工法は，
目地のない連続した断熱層が得られ，曲面や窓枠回り等複雑な形状にも
施工が容易であり，施工に際しては接着剤が必要である。

解　説

1．プレボーリング工法は，アースオーガーによってあらかじめ掘削され
た杭孔に，根固め液（セメントミルク）とともに既製杭を建て込む埋込
み工法です。

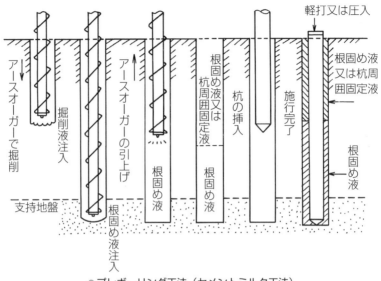

アースオーガーで掘削

掘削液注入

アースオーガーの引上げ

根固め液注入

根固め液

根固め液又は杭周囲固定液

根固め液

根固め液又は杭周囲固定液

杭の挿入

根固め液

施行完了

軽打又は圧入

根固め液又は杭周囲固定液

根固め液

支持地盤

● プレボーリング工法（セメントミルク工法）

2．【問題20】の2を参照してください。

3．【問題19】の【解説】の2を参照してください。

4．【問題18】の【解説】の4を参照してください。

5．【問題20】の【解説】の5を参照してください。

6．【問題19】の【解説】の7を参照してください。

7．軽量鉄骨下地にせっこうボードを直接張り付ける場合，ドリリングタッピンねじは，下地の裏面に**10mm 以上の余長**の得られる長さとし，**亜鉛めっき**など錆止めを施したものとします。

8．【問題18】の【解説】の8を参照してください。
　吹付け硬質ウレタンフォームの現場発泡断熱材による吹付け工法において，<u>接着剤は不要</u>です。

	○又は適当な語句		○又は適当な語句
1.	埋込み	5.	裏面
2.	○	6.	厚塗り
3.	1.4	7.	○
4.	大きく	8.	不要

第3章

施工管理法

第 4 章
法　規

※検定制度の改正により，法規の問題は，マークシート方式の四肢一択
　問題へと変わっています。
　形式は，巻末の「新検定制度問題　出題例　問題4」（P198）を参照
　してください。
　4つの言葉の中から1つを選べばよいので，これまでの過去問題より
　正答を得やすくなっています。
　本章では演習をかねて，過去の出題形式で学習してください。

1 建設業法・その他

要点の整理と理解 📝

1 建設業法

理解しよう！

●建設業法

建設業法	概　要
第1条 （目的）	• この法律は，建設業を営む者の資質の向上，建設工事の請負契約の適正化等を図ることによって，建設工事の適正な施工を確保し，発注者を保護するとともに，建設業の健全な発達を促進し，もって公共の福祉の増進に寄与することを目的とする。
第19条の2 （現場代理人の選任等に関する通知）	• 請負人は，請負契約の履行に関し工事現場に現場代理人を置く場合においては，当該現場代理人の権限に関する事項及び当該現場代理人の行為についての注文者の請負人に対する意見の申出の方法（第3項において「現場代理人に関する事項」という。）を，書面により注文者に通知しなければならない。
第24条の2 （下請負人の意見の聴取）	• 元請負人は，その請け負った建設工事を施工するために必要な工程の細目，作業方法その他元請負人において定めるべき事項を定めようとするときは，あらかじめ，下請負人の意見をきかなければならない。
第24条の3 （下請代金の支払）	• 元請負人は，請負代金の出来形部分に対する支払又は工事完成後における支払を受けたときは，当該支払の対象となった建設工事を施工した下請負人に対して，当該元請負人が支払を受けた金額の出来形に対する割合及び当該下請負人が施工した出来形部分に相応する下請代金を，当該支払を受けた日から1月以内で，かつ，できる限り短い期間内に支払わなければならない。

建設業法	概　要
第24条の4 （検査及び引渡し）	● 元請負人は，下請負人からその請け負った建設工事が完成した旨の通知を受けたときは，当該通知を受けた日から20日以内で，かつ，できる限り短い期間内に，その完成を確認するための検査を完了しなければならない。
第24条の8 （施工体制台帳及び施工体系図の作成等）	● 特定建設業者は，発注者から直接建設工事を請け負った場合において，当該建設工事を施工するために締結した下請契約の請負代金の額（当該下請契約が2以上あるときは，それらの請負代金の額の総額）が政令で定める金額以上になるときは，建設工事の適正な施工を確保するため，国土交通省令で定めるところにより，当該建設工事について，下請負人の商号又は名称，当該下請負人に係る建設工事の内容及び工期その他の国土交通省令で定める事項を記載した施工体制台帳を作成し，工事現場ごとに備え置かなければならない。
第26条の4 （主任技術者及び監理技術者の職務等）	● 主任技術者及び監理技術者は，工事現場における建設工事を適正に実施するため，当該建設工事の施工計画の作成，工程管理，品質管理その他の技術上の管理及び当該建設工事の施工に従事する者の技術上の指導監督の職務を誠実に行わなければならない。

2　建築基準法・建築基準法施行令

理解しよう！

●建築基準法

建築基準法	概　要
第89条 （工事現場における確認の表示等）	● 第6条第1項の建築，大規模の修繕又は大規模の模様替の工事の施工者は，当該工事現場の見易い場所に，国土交通省令で定める様式によって，建築主，設計者，工事施工者及び工事の現場管理者の氏名又は名称並びに当該工事に係る同項の確認があった旨の表示をしなければならない。 ● 第6条第1項の建築，大規模の修繕又は大規模の模様替の工事の施工者は，当該工事に係る設計図書を当該工事現場に備えておかなければならない。

第4章

法　規

建築基準法	概　要
第90条 （工事現場の危害の防止）	● 建築物の建築，修繕，模様替又は除却のための工事の施工者は，当該工事の施工に伴う地盤の崩落，建築物又は工事用の工作物の倒壊等による危害を防止するために必要な措置を講じなければならない。

●建築基準法施行令

建築基準法施行令	概　要
第136条の2の20 （仮囲い）	● 木造の建築物で高さが13m若しくは軒の高さが9mを超えるもの又は木造以外の建築物で2以上の階数を有するものについて，建築，修繕，模様替又は除却のための工事（以下この章において「建築工事等」という。）を行う場合においては，工事期間中工事現場の周囲にその地盤面（その地盤面が工事現場の周辺の地盤面より低い場合においては，工事現場の周辺の地盤面）からの高さが1.8m以上の板塀その他これに類する仮囲いを設けなければならない。 　　ただし，これらと同等以上の効力を有する他の囲いがある場合又は工事現場の周辺若しくは工事の状況により危害防止上支障がない場合においては，この限りでない。
第136条の3 （根切り工事，山留め工事等を行う場合の危害の防止）	● 建築工事等において建築物その他の工作物に近接して根切り工事その他土地の掘削を行なう場合においては，当該工作物の基礎又は地盤を補強して構造耐力の低下を防止し，急激な排水を避ける等その傾斜又は倒壊による危害の発生を防止するための措置を講じなければならない。 ● 建築工事等において深さ1.5m以上の根切り工事を行なう場合においては，地盤が崩壊するおそれがないとき，及び周辺の状況により危害防止上支障がないときを除き，山留めを設けなければならない。この場合において，山留めの根入れは，周辺の地盤の安定を保持するために相当な深さとしなければならない。 ● 建築工事等における根切り及び山留めについては，その工事の施工中必要に応じて点検を行ない，山留めを補強し，排水を適当に行なう等これを安全な状態に維持するための措置を講ずるとともに，矢板等の抜取りに際しては，周辺の地盤の沈下による危害を防止するための措置を講じなければならない。

3 労働安全衛生法

理解しよう！

●労働安全衛生法

労働安全衛生法	概　要
第3条 （事業者等の責務）	● 事業者は，単にこの法律で定める労働災害の防止のための最低基準を守るだけでなく，快適な職場環境の実現と労働条件の改善を通じて職場における労働者の安全と健康を確保するようにしなければならない。また，事業者は，国が実施する労働災害の防止に関する施策に協力するようにしなければならない。
第10条 （総括安全衛生管理者）	● 事業者は，政令で定める規模の事業場ごとに，厚生労働省令で定めるところにより，総括安全衛生管理者を選任し，その者に安全管理者，衛生管理者又は第25条の2第2項の規定により技術的事項を管理する者の指揮をさせるとともに，次の業務を統括管理させなければならない。 （第1号〜第5号　省略）
第14条 （作業主任者）	● 事業者は，高圧室内作業その他の労働災害を防止するための管理を必要とする作業で，政令で定めるものについては，都道府県労働局長の免許を受けた者又は都道府県労働局長の登録を受けた者が行う技能講習を修了した者のうちから，厚生労働省令で定めるところにより，当該作業の区分に応じて，作業主任者を選任し，その者に当該作業に従事する労働者の指揮その他の厚生労働省令で定める事項を行わせなければならない。
第59条 （安全衛生教育）	● 事業者は，労働者を雇い入れたときは，当該労働者に対し，厚生労働省令で定めるところにより，その従事する業務に関する安全又は衛生のための教育を行なわなければならない。
第60条	● 事業者は，その事業場の業種が政令で定めるものに該当するときは，新たに職務につくこととなった職長その他の作業中の労働者を直接指導又は監督する者（作業主任者を除く。）に対し，次の事項について，厚生労働省令で定めるところにより，安全又は衛生のための教育を行なわなければならない。　（第1号〜第3号　省略）

労働安全衛生法	概　要
第61条 （就業制限）	1. 事業者は，クレーンの運転その他の業務で，政令で定めるものについては，都道府県労働局長の当該業務に係る免許を受けた者又は都道府県労働局長の登録を受けた者が行う当該業務に係る技能講習を修了した者その他厚生労働省令で定める資格を有する者でなければ，当該業務に就かせてはならない。 2. 前項の規定により当該業務につくことができる者以外の者は，当該業務を行なってはならない。 3. 第１項の規定により当該業務につくことができる者は，当該業務に従事するときは，これに係る免許証その他その資格を証する書面を携帯していなければならない。

4　建設工事に係る資材の再資源化等に関する法律（建設リサイクル法）

理解しよう!

●建設リサイクル法

建設リサイクル法	概　要
第１条 （目的）	• この法律は，特定の建設資材について，その分別解体等及び再資源化等を促進するための措置を講ずるとともに，解体工事業者について登録制度を実施すること等により，再生資源の十分な利用及び廃棄物の減量等を通じて，資源の有効な利用の確保及び廃棄物の適正な処理を図り，もって生活環境の保全及び国民経済の健全な発展に寄与することを目的とする。
第５条 （建設業を営む者の責務）	• 建設業を営む者は，建築物等の設計及びこれに用いる建設資材の選択，建設工事の施工方法等を工夫することにより，建設資材廃棄物の発生を抑制するとともに，分別解体等及び建設資材廃棄物の再資源化等に要する費用を低減するよう努めなければならない。
第18条 （発注者への報告等）	• 対象建設工事の元請業者は，当該工事に係る特定建設資材廃棄物の再資源化等が完了したときは，主務省令で定めるところにより，その旨を当該工事の発注者に書面で報告するとともに，当該再資源化等の実施状況に関する記録を作成し，これを保存しなければならない。

5 労働基準法

●労働基準法

労働基準法	概　要
第32条 （労働時間）	● 使用者は，労働者に，休憩時間を除き１週間について40時間を超えて，労働させてはならない。
第34条 （休憩）	● 使用者は，労働時間が６時間を超える場合においては少くとも45分，８時間を超える場合においては少くとも１時間の休憩時間を労働時間の途中に与えなければならない。
第61条 （深夜業）	● 使用者は，満18才に満たない者を午後10時から午前５時までの間において使用してはならない。ただし，交替制によって使用する満16才以上の男性については，この限りでない。

試験によく出る問題 📋

※新検定制度より，出題形式がマークシート方式の四肢一択問題へと変わっています。形式は，巻末の「新検定制度問題　出題例　問題4」(P198)を参照して下さい。本章では演習をかねて，過去の出題形式で学習して下さい。

問題24

「建設業法」，「建築基準法施行令」及び「労働安全衛生法」に定める下記の各法文において，それぞれ誤っている語句の番号を1つあげ，それに対する正しい語句を記入しなさい。

1．建設業法（第26条の4　第1項）

主任技術者及び監理技術者は，工事現場における建設工事を適正に実施するため，当該建設工事の施工計画の①作成，工程管理，②原価管理その他の技術上の管理及び当該建設工事の施工に従事する者の技術上の③指導監督の職務を誠実に行わなければならない。

2．建築基準法施行令（第136条の3　第3項）

建築工事において建築物その他の工作物に近接して根切り工事その他土地の掘削を行なう場合においては，当該工作物の基礎又は①外壁を補強して構造②耐力の低下を防止し，急激な排水を避ける等その傾斜又は③倒壊による危害の発生を防止するための措置を講じなければならない。

3．労働安全衛生法（第61条第1項，第2項，第3項）

1．事業者は，クレーンの運転その他の業務で，政令で定めるものについては，都道府県労働局長の当該業務に係る免許を受けた者又は都道府県労働局長の①登録を受けた者が行う当該業務に係る②監理講習を修了した者その他厚生労働省令で定める資格を有する者でなければ，当該業務に就かせてはならない。

2．前項の規定により当該業務につくことができる者以外の者は，当該業務を行なってはならない。

3．第1項の規定により当該業務につくことができる者は，当該業務に従事するときは，これに係る免許証その他その資格を証する③書面を携帯していなければならない。

解　説

1．[建設業法第26条の4第1項]（主任技術者及び監理技術者の職務等）

　「主任技術者及び監理技術者は，工事現場における建設工事を適正に実施するため，当該建設工事の施工計画の作成，工程管理，品質管理その他の技術上の管理及び当該建設工事の施工に従事する者の技術上の指導監督の職務を誠実に行わなければならない。」と規定されています。

2．[建築基準法施行令第136条の3第3項]（根切り工事，山留め工事等を行う場合の危害の防止）

　「建築工事等において建築物その他の工作物に近接して根切り工事その他土地の掘削を行なう場合においては，当該工作物の基礎又は地盤を補強して構造耐力の低下を防止し，急激な排水を避ける等その傾斜又は倒壊による危害の発生を防止するための措置を講じなければならない。」と規定されています。

3．[労働安全衛生法第61条]（就業制限）

　「1．事業者は，クレーンの運転その他の業務で，政令で定めるものについては，都道府県労働局長の当該業務に係る免許を受けた者又は都道府県労働局長の登録を受けた者が行う当該業務に係る技能講習を修了した者その他厚生労働省令で定める資格を有する者でなければ，当該業務に就かせてはならない。

　2．前項の規定により当該業務につくことができる者以外の者は，当該業務を行なってはならない。

　3．第1項の規定により当該業務につくことができる者は，当該業務に従事するときは，これに係る免許証その他その資格を証する書面を携帯していなければならない」と規定されています。

第4章

法　規

	誤っている語句の番号	正しい語句
1.	②	品質
2.	①	地盤
3.	②	技能

問題25

「建設業法」,「建築基準法施行令」及び「労働安全衛生法」に定める次の各法文において，それぞれ**誤っている語句の番号**を１つあげ，それに対する**正しい語句**を記入しなさい

1．建設業法（第19条の2第1項）

　　請負人は，①請負契約の履行に関し工事現場に現場代理人を置く場合においては，当該現場代理人の②権限に関する事項及び当該現場代理人の行為について③監理者の請負人に対する意見の申出の方法（第3項において「現場代理人に関する事項」という。）を書面により③監理者に通知しなければならない。

2．建築基準法施行令（第136条の3第4項）

　　建築工事等において深さ①1.5m以上の根切り工事を行なう場合においては，地盤が崩壊するおそれがないとき，及び周辺の状況により危害防止上支障がないときを除き，山留めを設けなければならない。この場合において，山留めの②根入れは，周辺の③法面の安定を保持するために相当な深さとしなければならない。

3．労働安全衛生法（第14条）

　　事業者は，高圧室内作業その他の労働災害を防止するための管理を必要とする作業で，政令で定めるものについては，都道府県労働局長の免許を受けた者又は都道府県労働局長の登録を受けた者が行う①技能講習

を修了した者のうちから，厚生労働省令で定めるところにより，当該作業の区分に応じて，②工事主任者を選任し，その者に当該作業に従事する労働者の③指揮その他の厚生労働省令で定める事項を行わせなければならない。

| 解　説 |

1. ［建設業法第19条の2第1項］（現場代理人の選任等に関する通知）

「請負人は，請負契約 の履行に関し工事現場に現場代理人を置く場合においては，当該現場代理人の 権限 に関する事項及び当該現場代理人の行為についての 注文者 の請負人に対する意見の申出の方法を，書面により 注文者 に通知しなければならない。」と規定されています。

2. ［建築基準法施行令第136条の3第4項］（根切り工事，山留め工事等を行う場合の危害の防止）

「建築工事等において深さ 1.5m 以上の根切り工事を行なう場合においては，地盤が崩壊するおそれがないとき，及び周辺の状況により危害防止上支障がないときを除き，山留めを設けなければならない。この場合において，山留めの 根入れ は，周辺の 地盤 の安定を保持するために相当な深さとしなければならない。」と規定されています。

3. ［労働安全衛生法第14条］（作業主任者）

「事業者は，高圧室内作業その他の労働災害を防止するための管理を必要とする作業で，政令で定めるものについては，都道府県労働局長の免許を受けた者又は都道府県労働局長の登録を受けた者が行う 技能 講習を修了した者のうちから，厚生労働省令で定めるところにより，当該作業の区分に応じて， 作業 主任者を選任し，その者に当該作業に従事する労働者の 指揮 その他の厚生労働省令で定める事項を行わせなければならない。」と規定されています。

	誤っている語句の番号	正しい語句
1.	③	注文者
2.	③	地盤
3.	②	作業

問題26

「建設業法」,「建築基準法施行令」及び「建設工事に係る資材の再資源化等に関する法律（建設リサイクル法）」に定める次の各法文において，それぞれ誤っている語句の**番号を1つあげ**，それに対する**正しい語句**を記入しなさい。

1. 建設業法（第24条の8第1項）

　　特定建設業者は，発注者から直接建設工事を請け負った場合において，当該建設工事を施工するために締結した①下請契約の請負代金の額（当該①下請契約が2以上あるときは，それらの請負代金の額の総額）が政令で定める金額以上になるときは，建設工事の②適正な施工を確保するため，国土交通省令で定めるところにより，当該建設工事について，下請負人の商号又は名称，当該下請負人に係る建設工事の内容及び工期その他の国土交通省令で定める事項を記載した③施工分担図を作成し，工事現場ごとに備え置かなければならない。

2. 建築基準法施行令（第136条の2の20）

　　木造の建築物で高さが13m若しくは①軒の高さが9mを超えるもの又は木造以外の建築物で②3以上の階数を有するものについて，建築，修繕，模様替又は除却のための工事（以下この章において「建築工事等」という。）を行う場合においては，工事期間中工事現場の周囲にその地盤面（その地盤面が工事現場の周辺の地盤面より低い場合においては，工事現場の周辺の地盤面）から高さが1.8m以上の板塀その他これに類

する仮囲いを設けなければならない。

　ただし，これらと同等以上の効力を有する他の囲いがある場合又は工事現場の周辺若しくは工事の状況により_③危害防止上支障がない場合においては，この限りでない。

3．建設工事に係る資材の再資源化等に関する法律（建設リサイクル法）
（第5条第1項）

　建設業を営む者は，建築物等の設計及びこれに用いる建設資材の選択，建設工事の施工方法等を工夫することにより，建設資材廃棄物の_①発生を抑制するとともに，_②分別解体等及び建設資材廃棄物の再資源化に要する費用を_③負担するよう努めなければならない。

解　説

1．[建設業法第24条の8第1項]（施工体制台帳及び施工体系図の作成等）

　「特定建設業者は，発注者から直接建設工事を請け負った場合において，当該建設工事を施工するために締結した 下請契約 の請負代金の額（当該 下請契約 が2以上あるときは，それらの請負代金の額の総額）が政令で定める金額以上になるときは，建設工事の 適正 な施工を確保するため，国土交通省令で定めるところにより，当該建設工事について，下請負人の商号又は名称，当該下請負人に係る建設工事の内容及び工期その他の国土交通省令で定める事項を記載した 施工体制台帳 を作成し，工事現場ごとに備え置かなければならない。」と規定されています。

2．[建築基準法施行令第136条の2の20]（仮囲い）

　「木造の建築物で高さが13m 若しくは 軒の高さ が9mを超えるもの又は木造以外の建築物で 2 以上の階数を有するものについて，建築，修繕，模様替又は除却のための工事を行う場合においては，工事期間中工事現場の周囲にその地盤面からの高さが1.8m以上の板塀その他これに類する仮囲いを設けなければならない。ただし，これらと同等以上の効力を有する他の囲いがある場合又は工事現場の周辺若しくは工事の状

況により 危害防止 上支障がない場合においては，この限りでない。」
と規定されています。

3．[建設工事に係る資材の再資源化等に関する法律第5条第1項]（建設
業を営む者の責務）

「建設業を営む者は，建築物等の設計及びこれに用いる建設資材の選
択，建設工事の施工方法等を工夫することにより，建設資材廃棄物の
発生 を抑制するとともに， 分別 解体等及び建設資材廃棄物の再資源
化等に要する費用を 低減 するよう努めなければならない。」と規定さ
れています。

解　答

	誤っている語句の番号	正しい語句
1.	③	施工体制台帳
2.	②	2
3.	③	低減

問題27

「建設業法」，「建築基準法」及び「建設工事に係る資材の再資源化等に関
する法律（建設リサイクル法）」に定める次の各法文において，それぞれ誤っ
ている**語句の番号**を1つあげ，それに対する**正しい語句**を記入しなさい。

1．建設業法（第26条の4第1項）

主任技術者及び監理技術者は，工事現場における建設工事を適正に実
施するため，当該建設工事の ①施工計画の作成， ②工程管理，品質管理
その他の技術上の管理及び当該建設工事の施工に従事する者の技術上
の ③工事監督の職務を誠実に行わなければならない。

2．建築基準法（第89条第1項）

　第6条第1項の建築，大規模の修繕又は大規模の模様替の工事の①<u>注文者</u>は，当該工事現場の見易い場所に，国土交通省令で定める様式によって，建築主，設計者，工事②<u>施工者</u>及び工事の現場管理者の氏名又は名称並びに当該工事に係る同項の③<u>確認</u>があった旨の表示をしなければならない。

3．建設工事に係る資材の再資源化等に関する法律（建設リサイクル法）（第18条第1項）

　対象建設工事の元請業者は，当該工事に係る特定①<u>建設資材廃棄物</u>の再資源化などが完了したときは，主務省令で定めるところにより，その旨を当該工事の発注者に②<u>口頭</u>で報告するとともに，当該再資源化等の実施状況に関する記録を作成し，これを③<u>保存</u>しなければならない。

第4章

法

規

1．[建設業法第26条の4第1項]（主任技術者及び監理技術者の職務等）

　「主任技術者及び監理技術者は，工事現場における建設工事を適正に実施するため，当該建設工事の施工計画の作成，工程管理，品質管理その他の技術上の管理及び当該建設工事の施工に従事する者の技術上の指導監督の職務を誠実に行わなければならない。」と規定されています。

2．[建築基準法第89条第1項]（工事現場における確認の表示等）

　「第6条第1項の建築，大規模の修繕又は大規模の模様替の工事の施工者は，当該工事現場の見易い場所に，国土交通省令で定める様式によって，建築主，設計者，工事施工者及び工事の現場管理者の氏名又は名称並びに当該工事に係る同項の確認があった旨の表示をしなければならない。」と規定されています。

3．[建設工事に係る資材の再資源化等に関する法律第18条第1項]（発注者への報告等）

　「対象建設工事の元請業者は，当該工事に係る特定建設資材廃棄物の再資源化等が完了したときは，主務省令で定めるところにより，その旨を当該工事の発注者に書面で報告するとともに，当該再資源化等の実施状況に関する記録を作成し，これを保存しなければならない。」と規定されています。

解　答

	誤っている語句の番号	正しい語句
1.	③	指導
2.	①	施工者
3.	②	書面

「建設業法」,「建築基準法施行令」及び「労働安全衛生法」に定める次の各法文において,それぞれ誤っている語句の**番号を1つあげ**,それに対する**正しい語句**を記入しなさい。

1. 建設業法（第24条の3第1項）

　　元請負人は,請負代金の①出来形部分に対する支払又は工事完成後における支払を受けたときは,当該支払の対象となった建設工事を施工した下請負人に対して,当該元請負人が支払を受けた金額の①出来形に対する②割合及び当該下請負人が施工した①出来形部分に相応する下請代金を,当該支払を受けた日から③五十日以内で,かつ,できる限り短い期間内に支払わなければならない。

2. 建築基準法施行令（第136条の3第6項）

　　建築工事等における根切り及び山留めについては,その工事の①施工中必要に応じて点検を行ない,山留めを補強し,②排水を適当に行なう等これを安全な状態に維持するための措置を講ずるとともに,矢板等の③打ち込みに際しては,周辺の地盤の沈下による危害を防止するための措置を講じなければならない。

3. 労働安全衛生法（第60条第1項）

　　事業者は,その事業場の業種が政令で定めるものに該当するときは,新たに職務につくこととなった①職長その他の作業中の労働者を直接指導又は②監督する者（作業主任者を除く。）に対し,次の事項について,厚生労働省令で定めるところにより,安全又は衛生のための③訓練を行なわなければならない。
（第60条第1項第1号から第3号は省略。）

1．[建設業法第24条の3第1項]（下請代金の支払）

「元請負人は，請負代金の 出来形 部分に対する支払又は工事完成後における支払を受けたときは，当該支払の対象となった建設工事を施工した下請負人に対して，当該元請負人が支払を受けた金額の 出来形 に対する 割合 及び当該下請負人が施工した 出来形 部分に相応する下請代金を，当該支払を受けた日から 1月 以内で，かつ，できる限り短い期間内に支払わなければならない。」と規定されています。

2．[建築基準法施行令第136条の3第6項]（根切り工事，山留め工事等を行う場合の危害の防止）

「建築工事等における根切り及び山留めについては，その工事の 施工中 必要に応じて点検を行ない，山留めを補強し， 排水 を適当に行なう等これを安全な状態に維持するための措置を講ずるとともに，矢板等の 抜取り に際しては，周辺の地盤の沈下による危害を防止するための措置を講じなければならない。」と規定されています。

3．[労働安全衛生法第60条第1項]

「事業者は，その事業場の業種が政令で定めるものに該当するときは，新たに職務につくこととなった職長その他の作業中の労働者を直接指導又は監督する者（作業主任者を除く。）に対し，次の事項について，厚生労働省令で定めるところにより，安全又は衛生のための教育を行なわなければならない。」と規定されています。

	誤っている語句の番号	正しい語句
1.	③	1月
2.	③	抜取り
3.	③	教育

「建設業法」,「建築基準法」及び「労働安全衛生法」に定める次の各法文において,それぞれ誤っている語句の番号を1つあげ,それに対する正しい語句を記入しなさい。

1. 建設業法（第24条の2）

　　①元請負人は,その請け負った建設工事を施工するために必要な工程の細目,②作業方法その他①元請負人において定めるべき事項を定めようとするときは,あらかじめ,③発注者の意見をきかなければならない。

2. 建築基準法（第89条第2項）

　　第6条第1項の建築,大規模の修繕又は大規模の模様替の工事の①設計者は,当該工事に係る②設計図書を当該③工事現場に備えておかなければならない。

3. 労働安全衛生法（第10条第1項）

　　事業者は,政令で定める規模の①事業場ごとに,厚生労働省令で定めるところにより,総括安全衛生②責任者を選任し,その者に安全管理者,衛生管理者又は第25条の2第2項の規定により技術的事項を管理する者の③指揮をさせるとともに,次の業務を統括管理させなければならない。（第10条第1項第1号から第5号は省略。）

<hr />

解　説

1. [建設業法第24条の2]（下請負人の意見の聴取）

　　「元請負人は,その請け負った建設工事を施工するために必要な工程の細目, 作業 方法その他 元請負人 において定めるべき事項を定めようとするときは,あらかじめ, 下請負人 の意見をきかなければならない。」と規定されています。

2．[建築基準法第89条第2項]（工事現場における確認の表示等）
　　「第6条第1項の建築，大規模の修繕又は大規模の模様替の工事の
　施工者 は，当該工事に係る 設計図書 を当該 工事現場 に備えておかな
　ければならない。」と規定されています。

3．[労働安全衛生法第10条第1項]（総括安全衛生管理者）
　　「事業者は，政令で定める規模の 事業場 ごとに，厚生労働省令で定
　めるところにより，総括安全衛生 管理者 を選任し，その者に安全管理
　者，衛生管理者又は第25条の2第2項の規定により技術的事項を管理す
　る者の 指揮 をさせるとともに，次の業務を統括管理させなければなら
　ない。」と規定されています。

解　答

	誤っている語句の番号	正しい語句
1.	③	下請負人
2.	①	施工者
3.	②	管理者

付　録
新検定制度問題
第二次検定

出題例・解答例

※　本試験問題では，すべての漢字にルビが付されています。

問題 1　あなたが経験した**建築工事**のうち，あなたの受検種別に係る工事の中から，**施工の計画**を行った工事を 1 つ選び，工事概要を具体的に記述したうえで，次の 1．から 2．の問いに答えなさい。

　なお，**建築工事**とは，建築基準法に定める建築物に係る工事とし，建築設備工事を除くものとする。

〔工事概要〕

イ．工　　事　　名

ロ．工　事　場　所

ハ．工　事　の　内　容〔新築等の場合：建物用途，構造，階数，延べ面積又は施工数量，主な外部仕上げ，主要室の内部仕上げ

改修等の場合：建物用途，建物規模，主な改修内容及び施工数量〕

ニ．工　　期　　等　（工期又は工事に従事した期間を年号又は西暦で年月まで記入）

ホ．あなたの立場

ヘ．あなたの業務内容

1．工事概要であげた工事であなたが担当した工種において，施工の計画時に着目した**項目**を①の中から異なる**3つ**を選び，②から④について具体的に記述しなさい。

　　ただし，②の工種名は同一の工種名でもよいが，③及び④はそれぞれ異なる内容を記述するものとする。また，コストについてのみ記述したものは不可とする。

① 着目した項目
  a　施工方法又は作業方法
  b　資材の搬入又は荷揚げの方法
  c　資材の保管又は仮置きの方法
  d　施工中又は施工後の養生の方法（ただし，労働者の安全に関する養生は除く）
  e　試験又は検査の方法
② 工種名
③ 現場の状況と施工の計画時に検討したこと
④ 施工の計画時に検討した理由と実施したこと

2．工事概要であげた工事及び受検種別にかかわらず，あなたの今日までの工事経験を踏まえて，「品質低下の防止」及び「工程遅延の防止」について，それぞれ①及び②を具体的に記述しなさい。
　　ただし，1．③及び④と同じ内容の記述は不可とする。

① 施工の計画時に検討することとその理由
② 防止対策とそれに対する留意事項

次の建築工事に関する用語の一覧 表の中から 5 つ用語を選び，解答用紙の**用語の記号欄**の記号にマークしたうえで，**選んだ用語欄に用語を記入し**，その**用語の説明**と**施工上 留 意すべきこと**を具体的に記述しなさい。

　　ただし，g 及び n 以外の用語については，作業上の安全に関する記述は不可とする。また，使用資機材に不良品はないものとする。

用語の一覧表

用語の記号	用　　語
a	クレセント
b	コンクリート壁の誘発目地
c	ジェットバーナー仕上げ
d	セルフレベリング工法
e	鉄骨の耐火被覆
f	土工事における釜場
g	乗入れ構台
h	腹筋
i	ビニル床シート熱溶接工法
j	フラットデッキ
k	壁面のガラスブロック積み
ℓ	ボンドブレーカー
m	木工事の大引
n	ローリングタワー

問題3 鉄骨造3階建て複合ビルの新築工事について，次の1．から4．の問いに答えなさい。

工程表は，工事着手時点のもので，鉄骨工事における耐火被覆工事の工程は未記入であり，予定出来高曲線を破線で表示している。

また，出来高表は，3月末時点のものを示しており，総工事金額の月別出来高，耐火被覆工事の工事金額及び出来高は記載していない。

なお，各作業は一般的な手順に従って施工されるものとする。

〔工事概要〕

用　　　途：店舗（1階），賃貸住宅（2，3階）

構造・規模：鉄骨造　地上3階，延べ面積300m²

　　　　　　鉄骨耐火被覆は半乾式工法

外部仕上げ：屋上防水は，ウレタンゴム系塗膜防水絶縁工法，脱気装置設置

　　　　　　外壁は，ALCパネル張り，防水形複層塗材仕上げ

内部仕上げ：店　　舗　床は，コンクリート直押さえのまま

　　　　　　　　　　　壁，天井は，軽量鉄骨下地せっこうボード張り

　　　　　　　　　　　ただし，テナント工事は別途で本工事工程外とする。

　　　　　　賃貸住宅　床は，乾式二重床，フローリング張り

　　　　　　　　　　　壁，天井は，軽量鉄骨下地せっこうボード張りの上，クロス張り

　　　　　　　　　　　ユニットバス，家具等（内装工事に含めている）

1．工程表の仮設工事のⒶ，鉄筋コンクリート工事のⒷ，内装工事のⒸに該当する**作業名**を記入しなさい。

2．鉄骨工事のうち，耐火被覆工事**完了日**を月と旬日で定めて記入しなさい。

　　ただし，**解答の旬日**は，上旬，中旬，下旬とする。

3．出来高表から，２月末までの実績出来高の累計金額を求め，総工事金額に対する比率をパーセントで記入しなさい。

4．出来高表から，３月末までの実績出来高の累計金額を記入しなさい。

工　程　表

工　種＼月	1 月	2 月	3 月	4 月	5 月	出来高 %
仮　設　工　事	仮囲い 準備工事　地足場組立	鉄骨建方段取り 地足場解体 Ⓐ		外部足場解体	クリーニング 完成検査	
土　工　事 地　業　工　事	山留　根切・捨てコン 杭打設	埋戻し・砂利地業				100
鉄筋コンクリート工事	Ⓑ	2, 3, RF床 1F床・手摺・パラペット				90
鉄　骨　工　事	アンカーフレーム設置　デッキプレート敷込 鉄骨建方・本締　スタッド溶接					80
外　壁　工　事		目地シール ALC取付				70
防　水　工　事		屋上防水　外部サッシシール ベランダ塗膜防水				60
建　具　工　事		外部建具（ガラス取付を含む）	内部建具枠取付け 内部建具吊り込み			50
金　属　工　事		ベランダ手摺取付	笠木取付　1F壁・天井軽鉄下地 2, 3F壁・天井軽鉄下地			40
内　装　工　事	予定出来高曲線 →		2, 3F壁・天井仕上げ工事 Ⓒ ユニットバス　1F壁・天井ボード張り　家具等工事			30
塗　装　工　事			外壁塗装	内部塗装		20
外　構　工　事				外構工事		10
設　備　工　事		電気・給排水衛生・空調設備工事				0

工　　　　　　　　種	工事金額	予　定 実　績	1月	2月	3月	4月	5月
仮　設　工　事	500	予　定	50	200	50	150	50
		実　績	50	200	50		
土　　工　　事 地　業　工　事	600	予　定	390	210			
		実　績	390	210			
鉄筋コンクリート工事	900	予　定	450	180	270		
		実　績	360	200	340		
鉄　骨　工　事	900	予　定	50	760			
		実　績	30	780			
外　壁　工　事	400	予　定			400		
		実　績			400		
防　水　工　事	150	予　定			150		
		実　績			150		
建　具　工　事	500	予　定			400	100	
		実　績			400		
金　属　工　事	250	予　定			100	150	
		実　績			100		
内　装　工　事	500	予　定				400	100
		実　績					
塗　装　工　事	200	予　定				150	50
		実　績					
外　構　工　事	200	予　定					200
		実　績					
設　備　工　事	900	予　定	90	90	180	450	90
		実　績	90	90	180		
総　工　事　金　額	6,000	予　定					
		実　績					

問題4 次の1. から3. の各法文において，□□□□に当てはまる正しい語句又は数値を，下の該当する枠内から1つ選びなさい。

1. 建設業法（検査及び引渡し）
   第24条の4　元請負人は，下請負人からその請け負った建設工事が□①□した旨の通知を受けたときは，当該通知を受けた日から□②□日以内で，かつ，できる限り短い期間内に，その□①□を確認するための検査を完了しなければならない。
   2　（略）

①	①完了	②終了	③完成	④竣工

②	①7	②14	③20	④30

2. 建築基準法（工事現場における確認の表示等）
   第89条　第6条第1項の建築，大規模の修繕又は大規模の模様替の工事の□③□は，当該工事現場の見易い場所に，国土交通省令で定める様式によって，建築主，設計者，工事施工者及び工事の現場管理者の氏名又は名称並びに当該工事に係る同項の確認があった旨の表示をしなければならない。
   2　第6条第1項の建築，大規模の修繕又は大規模の模様替の工事の□③□は，当該工事に係る□④□を当該工事現場に備えておかなければならない。

③	①建築主	②設計者	③施工者	④現場管理者

④	①設計図書	②請負契約者	③施工体系図	④確認済証

3．労働安全衛生法（事業者等の責務）

第3条　（略）

2　（略）

3　建設工事の注文者等仕事を他人に請け負わせる者は，施工方法，
　　 ⑤ 　等について，安全で衛生的な作業の　 ⑥ 　をそこなうおそ
れのある条件を附さないように配慮しなければならない。

⑤	① 人員配置	② 工期	③ 労働時間	④ 賃金

⑥	① 環境	② 継続	③ 計画	④ 遂行

※ **受検種別：建　築の受験者は解答してください。**

問題5－A　次の1. から8. の各記述において，□□□に当てはまる最も適当な語句又は数値を，下の該当する枠内から1つ選びなさい。

1. 図面に示される通り心（とおしん）は壁心（かべしん）であることが多く，壁工事が行われるために墨（すみ）を打つことができない。そのため壁心から離れた位置に補助の墨（ほじょ）を打つが，この墨のことを　①　という。

①	① 逃げ墨（にげずみ）	② 陸墨（ろくずみ）	③ 地墨（じずみ）	④ 親墨（おやずみ）

2. 埋戻し（うめもどし）工事における締固め（しめかた）は，川砂（かわずな）及び透水性（とうすいせい）のよい山砂（やまずな）の類い（たぐい）の場合は水締め（みずじめ）とし，上から単に水を流すだけでは締固めが不十分なときは，埋戻し厚さ　②　程度ごとに水締めを行う。

②	① 5 cm	② 10cm	③ 30cm	④ 60cm

3. 鉄筋工事における鉄筋相互のあきは，粗骨材（そこつざい）の最大寸法の1.25倍，25mm及び隣り合う（となりあう）鉄筋の平均径（へいきんけい）の　③　のうち最大のもの以上とする。

③	① 1.0倍	② 1.25倍	③ 1.5倍	④ 2.0倍

4. 鉄骨工事における柱 脚（ちゅうきゃく）アンカーボルトの締付け（しめつけ）は，特記（とっき）がない場合，ナット回転法で行い，ボルト頭部の山の高さは，ねじが2重ナット締め（じめ）を行っても外（そと）に　④　以上出ることを標 準（ひょうじゅん）とする。

④	① 1山（やま）	② 2山	③ 3山	④ 4山

5．ウレタンゴム系塗膜防水の通気緩衝シートの張付けに当たって，シートの継ぎ目は　⑤　とし，下地からの浮き，端部の耳はね等が生じないように注意して張り付ける。

| ⑤ | ① 50mm 重ね | ② 100mm 重ね | ③ 目透し | ④ 突付け |

6．大理石は，模様や色調などの装飾性を重視することが多いため，磨き仕上げとすることが多く，壁の仕上げ材に使用する場合は　⑥　を用いることが多い。

| ⑥ | ① 本磨き | ② 水磨き | ③ 粗磨き | ④ ブラスト |

7．塗装工事において，塗膜が平らに乾燥せず，ちりめん状あるいは波形模様の凹凸を生じる現象を　⑦　といい，厚塗りによる上乾きの場合などに起こりやすい。

| ⑦ | ① だれ | ② しわ | ③ にじみ | ④ はじき |

8．内装工事において使用される　⑧　せっこうボードは，両面のボード用原紙と心材のせっこうに防水処理を施したもので，屋内の台所や洗面所などの壁や天井の下地材として使用される。

| ⑧ | ① 強化 | ② シージング | ③ 化粧 | ④ 構造用 |

問題5－B　次の1．から4．の各記述において，□□□に当てはまる最も適当な語句又は数値を，下の該当する枠内から1つ選びなさい。

1．建築物の高さ及び位置の基準となるものを　①　という。高さの基準は隣接の建築物や既存の工作物に，位置の基準は一般に建築物の縦，横2方向の通り心を延長して設ける。工事測量を行うときの基準のため，工事中に動くことのないよう2箇所以上設けて，随時確認できるようにしておく。

　　また，建築物の位置を定めるため建築物の外形と内部の主要な間仕切の中心線上に，ビニルひも等を張って建築物の位置を地面に表すことを　②　という。このとき，建築物の隅には地杭を打ち地縄を張りめぐらす。

①	① 親墨	② 逃げ墨	③ ベンチマーク	④ ランドマーク

②	① 縄張り	② 水貫	③ 遣方	④ いすか切り

2．鉄筋工事おいて，コンクリートの中性化や火災等の高温による鉄筋への影響を考えた鉄筋を覆うコンクリートの厚さを「かぶり厚さ」といい，建築基準法施行令で規定されており，原則として，柱又は梁にあっては　③　mm以上，床にあっては20mm以上となっている。

　　また，かぶり厚さを保つためにスペーサーが用いられ，スラブ筋の組立時には　④　のスラブ用スペーサーを原則として使用する。

③	① 25	② 30	③ 35	④ 40

④	① 木レンガ	② モルタル製	③ 鋼製	④ プラスチック製

3．コンクリート工事において，日本産業規格（JIS）では，レディーミクストコンクリートの運搬時間は，原則として，コンクリートの練混ぜを開始してからトラックアジテータが荷卸し地点に到着するまでの時間とし，その時間は ⑤ 分以内と規定されている。このため，できるだけ運搬時間が短くなるレディーミクストコンクリート工場の選定をする。

また，コンクリートの練混ぜ開始から工事現場での打込み終了までの時間は外気温が25℃未満の場合 ⑥ 分以内，25℃以上の場合90分以内とする。

| ⑤ | ① 60 | ② 70 | ③ 80 | ④ 90 |

| ⑥ | ① 60 | ② 120 | ③ 150 | ④ 180 |

4．木造在来軸組構法において，屋根や上階の床などの荷重を土台に伝える鉛直材である柱は，2階建てでは，1階から2階まで通して1本の材を用いる通し柱と，各階ごとに用いる ⑦ とがある。

一般住宅の場合，柱の断面寸法は，通し柱は ⑧ cm角，⑦ では10.5cm角のものが主に使用されている。

| ⑦ | ① 継柱 | ② 止柱 | ③ 間柱 | ④ 管柱 |

| ⑧ | ① 10.5 | ② 12 | ③ 13.5 | ④ 15 |

問題 5 − C　次の 1 . から 4 . の各記述において，　□　に当てはまる最も適当な語句又は数値を，下の該当する枠内から 1 つ選びなさい。

1 . 改質アスファルトシート防水トーチ工法において，改質アスファルトシートの張付けは，トーチバーナーで改質アスファルトシートの　①　及び下地を均一にあぶり，　①　の改質アスファルトシートを溶融させながら均一に押し広げて密着させる。改質アスファルトシートの重ねは，2 層の場合，上下の改質アスファルトシートの接合部が重ならないように張り付ける。

　出隅及び入隅は，改質アスファルトシートの張付けに先立ち，幅　②　mm 程度の増張りを行う。

①	① 表面	② 裏面	③ 両面	④ 小口面

②	① 100	② 150	③ 200	④ 250

2 . セメントモルタルによるタイル張りにおいて，密着張りとする場合，タイルの張付けは，張付けモルタル塗付け後，タイル用振動機（ビブラート）を用い，タイル表面に振動を与え，タイル周辺からモルタルがはみ出すまで振動機を移動させながら，目違いのないよう通りよく張り付ける。

　張付けモルタルは，2 層に分けて塗り付けるものとし，1 回の塗付け面積の限度は，2 m²以下，かつ，　③　分以内に張り終える面積とする。また，タイル目地詰めは，タイル張付け後　④　時間経過した後，張付けモルタルの硬化を見計らって行う。

③	① 10	② 20	③ 30	④ 40

| ④ | ① 8 | ② 12 | ③ 16 | ④ 24 |

3. 軽量鉄骨天井下地において，鉄筋コンクリート造の場合，吊りボルトの取付けは，埋込みインサートにねじ込んで固定する。野縁の吊下げは，取り付けられた野縁受けに野縁を　⑤　で留め付ける。
　平天井の場合，目の錯覚で天井面が下がって見えることがあるため，天井下地の中央部を基準レベルよりも吊り上げる方法が行われている。この方法を　⑥　といい，室内張りのスパンに対して $\frac{1}{500}$ から $\frac{1}{1,000}$ 程度が適当とされている。

| ⑤ | ① ビス | ② 溶接 | ③ クリップ | ④ ハンガー |

| ⑥ | ① そり | ② むくり | ③ たわみ | ④ テーパー |

4. 床カーペット敷きにおいて，　⑦　カーペットをグリッパー工法で敷き込む場合，張り仕舞は，ニーキッカー又はパワーストレッチャーを用い，カーペットを伸展しながらグリッパーに引っ掛け，端はステアツールを用いて溝に巻き込むように入れる。
　グリッパーは，壁際から隙間をカーペットの厚さの約　⑧　とし，壁周辺に沿って均等にとり，釘又は接着剤で取り付ける。

| ⑦ | ① ウィルトン | ② ニードルパンチ | ③ コード | ④ タイル |

| ⑧ | ① $\frac{1}{2}$ | ② $\frac{1}{3}$ | ③ $\frac{2}{3}$ | ④ $\frac{1}{4}$ |

新検定制度問題　第二次検定 解答例

※第二次検定問題は，試験機関による解答の公表はありません。ここに掲載されているものは，弊社独自の分析によるオリジナルの解答例になりますので，この解答だけが正解というものではありません。あらかじめご了解ください。

問題1

施工経験記述は，受検者本人のものであるため，省略します。

なお，施工計画については，「P32，1　施工計画」を参照してください。

問題2

解答例

　　受験種別に関係なく，5つ選んで記述してください。

用　　　語	クレセント
用語の説明	引違いサッシなどの召合せ部分に取り付ける戸締まり用の金物。
施工上留意すべき内容	取付け高さに注意し，操作時には無理なく開閉でき，適切な締付け力を保持する。

●クレセント

用 語	コンクリート壁の誘発目地
用語の説明	コンクリートの収縮によるひび割れを，所定の位置に集中的に発生させることを目的として設けられた目地。
施工上留意すべき内容	誘発目地の割付は，厚さや面積に対して適切な配置とし，適切な深さを確保する。また，鉄筋のかぶり厚さは，目地底から確保する。

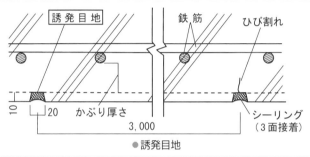

●誘発目地

用 語	ジェットバーナー仕上げ
用語の説明	石材の表面仕上げの一種。ジェットバーナーで石材の表面を飛ばして，滑らかな凹凸状の表面に仕上げる方法。
施工上留意すべき内容	花崗岩（御影石）のみの仕上げに使用し，高温を加えるためには，石厚30mm以上が必要である。

用 語	セルフレベリング工法
用語の説明	表面が自然に水平になる材料のもつ流動性を利用して，平滑な床面をつくる工法。
施工上留意すべき内容	流し込み作業中はできる限り通風をなくし，施工後も材料が硬化するまでは，はなはだしい通風を避ける。

用　　語	鉄骨の耐火被覆
用語の説明	モルタルやロックウールなどの耐火材料を使用して，主に鉄骨構造の柱や梁に耐火性能をもたせるための被覆。
施工上留意すべき内容	所定の被覆厚さを確保するため，専用の厚さ測定器又はこれに準ずる器具を用いて，厚さを確認しながら作業をする。

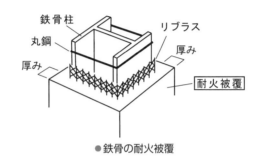

●鉄骨の耐火被覆

用　　語	土工事における釜場
用語の説明	乾燥状態で土工事を行うため，根切り底に設け，ここに水中ポンプの吸込み口を入れるなどして排水するための集水ピット。
施工上留意すべき内容	釜場の設置場所は，基礎スラブの支持力に悪影響を与えない場所とする。

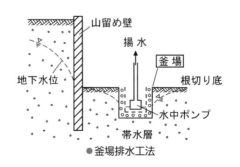

●釜場排水工法

用　　語	乗入れ構台
用語の説明	地下工事等を施工する際，建設重機を乗入れて作業するための作業構台。
施工上留意すべき内容	重機乗入れ部の勾配は，１／10〜１／６程度とする。また，構台支柱は，地下躯体の主要構造部分に当たらないようにする。

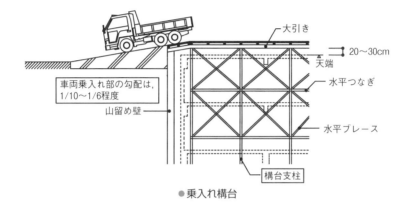

●乗入れ構台

P101を参照してください。

用　　語	腹筋
用語の説明	梁の配筋において，梁せいが大きい場合に，あばら筋のズレや変形を防ぐために設ける補助鉄筋で，上下の主筋との間に平行に入れる。
施工上留意すべき内容	梁せいが600mm以上の場合に，300mm程度ごとに１対設け，あばら筋全数と緊結し，幅止め筋で梁幅を確保する。

用　　語	ビニル床シート熱溶接工法
用語の説明	ビニル床シートの継手を熱溶接機で，一体的に接合する方法。
施工上留意すべき内容	継手の溝切りは，接着剤が完全に硬化してから行い，溝の深さは床シートの厚さの２／３程度の深さとする。

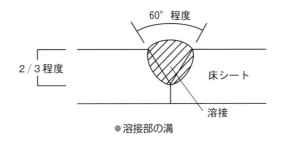

●溶接部の溝

用　　語	フラットデッキ
用語の説明	コンクリートスラブの打込み型枠や床板として用いられる上面が平らな薄鋼板。
施工上留意すべき内容	敷き込みに当たっては，取り合う型枠等の強度を十分確保するとともに，衝撃に弱いので養生方法や揚重方法に留意する。

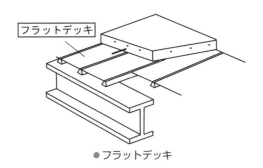

●フラットデッキ

用　　語	壁面のガラスブロック積み
用語の説明	金属枠に，補強のための力骨，変形を吸収する緩衝材を使用して，ガラスブロックを積みこんだ壁面。
施工上留意すべき内容	施工面積が大きい場合は，地震時の躯体変形に追従しないので，幅10〜25mm の伸縮調整目地を 6 m 以内ごとに設ける。

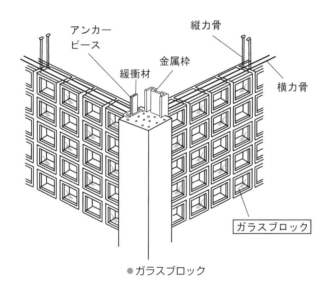

● ガラスブロック

用　　語	ボンドブレーカー
用語の説明	シーリング材の 3 面接着を防止するために目地底に張る材料で，ポリエチレンなどの粘着テープをいう。
施工上留意すべき内容	シーリング材と接着しない材料を使用し，浮きが生じないように目地底に確実に設置する。

付
録

第二次検定　解答例

P96を参照してください。

用　　語	木工事の大引
用語の説明	木造建物の1階床組みで，根太を支持するための横木。
施工上留意すべき内容	一般的に900mm 程度の間隔で根太に直角になるように施工し，端部は土台や大引き受けに適切に連結する。

用　　語	ローリングタワー
用語の説明	移動式の枠組み足場のことで，車輪が脚部に取り付けてあり，水平方向への移動を容易にした機能的な足場。
施工上留意すべき内容	傾斜のある場所では使用しない。作業時は，足元のストッパーをすべて固定し，要求性能墜落制止用器具を使用して作業する。人を乗せたまま移動しない。

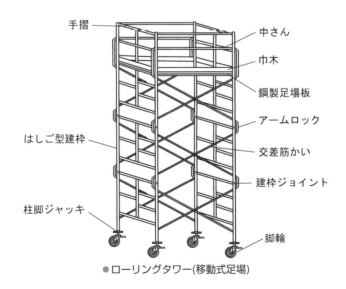

●ローリングタワー(移動式足場)

解 説

1. 仮設工事の⒜において，4月中旬に**外部足場解体**の作業があることから，⒜に該当する作業名は，**外部足場組立て**です。⒝の作業は，鉄筋コンクリート工事の最初の作業なので，**基礎コンクリート**です。

　内装工事において，©の作業は，2，3F壁・天井仕上げ工事後に行う作業で，最終に行う作業であることから，©に該当する作業名は，**2，3F床仕上げ工事**です。

2. 耐火被覆作業は，3月上旬の**RF床コンクリート打設**後及び**外壁ALC取付**後で，3月下旬の2，3F壁・天井軽鉄下地までに完了しておく必要があります。したがって，**完了日は3月下旬**が適当な工程です。

3. 出来高表から**実績出来高の累計金額**は，1月が920万円，2月が1,480万円であることから，2月末までの実績金額を累計すると，2,400万円になります。したがって，総工事金額に対する比率は，$\frac{2400}{6000} \times 100 = \underline{\textbf{40\%}}$です。

4. 出来高表から3月末までの実績金額を累計しますが，**鉄骨工事（耐火被覆作業）においては3月に実績金額を加える**必要があります。

3月末までの完成出来高表（実績金額）

単位：万円

工種	工事金額	1月	2月	3月
仮設工事	500	50	200	50
土工事・基礎工事	600	390	210	
鉄筋コンクリート工事	900	360	200	340
鉄骨工事	900	30	780	**90**
外壁工事	400			400
防水工事	150			150

新検定制度問題　　213

建具工事	500			400
金属工事	250			100
内装工事	500			
塗装工事	200			
外構工事	200			
設備工事	900	90	90	180
総工事金額	6,000	920	1,480	1,710

　上記の表から，3月末までの**実績出来高の累計金額**は，
920万円＋1,480万円＋1,710万円＝**4,110万円**になります。

解　答

1.	Ⓐの作業名	外部足場組立て
	Ⓑの作業名	基礎コンクリート
	Ⓒの作業名	2，3F床仕上げ工事
2.	完了日	3月下旬
3.	比率	40%
4.	累計金額	4,110万円

問題4

解　説

1．〔建設業法第24条の4〕（検査及び引渡し）

　「元請負人は，下請負人からその請け負った建設工事が 完成 した旨の
通知を受けたときは，当該通知を受けた日から 20 日以内で，かつ，でき
る限り短い期間内に，その 完成 を確認するための検査を完了しなければ
ならない。」と規定されています。

2．[建築基準法第89条]（工事現場における確認の表示等）

第1項で，「第6条第1項の建築，大規模の修繕又は大規模の模様替の工事の 施工者 は，当該工事現場の見易い場所に，国土交通省令で定める様式によって，建築主，設計者，工事施工者及び工事の現場管理者の氏名又は名称並びに当該工事に係る同項の確認があった旨の表示をしなければならない。」と規定されています。

また，第2項で，「第6条第1項の建築，大規模の修繕又は大規模の模様替の工事の 施工者 は，当該工事に係る 設計図書 を当該工事現場に備えておかなければならない。」と規定されています。

3．[労働安全衛生法第3条]（事業者等の責務）

第3項で，「建設工事の注文者等仕事を他人に請け負わせる者は，施工方法， 工期 等について，安全で衛生的な作業の 遂行 をそこなうおそれのある条件を附さないように配慮しなければならない。」と規定されています。

解 答			
1.	① ③	② ③	
2.	③ ③	④ ①	
3.	⑤ ②	⑥ ④	

問題 5 －A

解 説

1．壁心から一定の距離（1m程度）をおいて平行に付けた補助の墨は，**逃げ墨**です。

墨の呼び名の種類

墨の呼び名	概　要
地墨	平面の位置を示すために床面に付けた墨
陸墨	水平を示すために壁面に付けた墨
親墨	基準となる墨
逃げ墨	通り心から一定の距離（1m程度）をおいて平行に付けた墨

2．P156,【問題20】の【解説】の1を参照してください。

転圧，水締めなどは，<u>30cm程度ごとに行います</u>。

3．P156,【問題20】の【解説】の3を参照してください。

鉄筋相互のあきの寸法は，次の①～③うち**最も大きい数値以上**とします。

①粗骨材の最大寸法の1.25倍

②25mm

③丸鋼では径，異形鉄筋では**呼び名の数値の1.5倍**

（径が異なる場合は<u>平均径</u>）

4．アンカーボルト頭部の出の高さは，先端のねじが<u>2重ナットの外に3山</u>
<u>以上出るように施工します</u>。

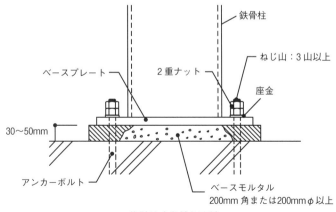

●後詰め中心塗り工法

5．ウレタンゴム系塗膜防水の**絶縁工法**で使用される**通気緩衝シート**は，<u>**突付け張りとします**</u>。

6．P162，【問題21】の【解説】の5を参照してください。
　　大理石の仕上げは，主に粗磨き，水磨き，本磨きに区分され，一般に**壁**に使用する場合は**本磨き**を，**床**に使用する場合は，**粗磨き**や**水磨き**を用います。

7．P152，【問題19】の【解説】の7を参照してください。
　　塗装作業中における塗膜の欠陥である**しわ**は，<u>下塗りの乾燥状態が不十分のまま上塗りを行った場合</u>や，油性塗料を<u>厚塗り</u>した場合に生じやすくなります。

8．**シージング**石膏ボードは，<u>両面に紙と芯の石膏に防水処理を施したもの</u>で，多湿な場所や水まわりの下地に使用されます。

石膏ボードの種類

種　類	概要・特徴
石膏ボード	主原料のせっこうと少量の軽量骨材などの混合物を芯とし，その両面を厚紙で被覆して板状に成形したもの。
シージング石膏ボード	両面の紙と芯の石膏に防水処理を施したもので，多湿な場所や水回りの下地に使用する。
強化石膏ボード	心材にガラス繊維を混入し，火災にあってもひび割れや脱落を生じにくくした石膏ボード。
石膏ラスボード	石膏ボードの表面に凹みを付けたもの。
化粧石膏ボード	石膏ボードの表面に印刷や塗装加工をしたもの。

1.	①	①	5.	⑤	④	
2.	②	③	6.	⑥	①	
3.	③	③	7.	⑦	②	
4.	④	③	8.	⑧	②	

問題 5 － B

解　説

1. 建物の高さや位置の基準点である**ベンチマーク**は，建築物の縦，横 2 方向の通り心を延長して，既存の工作物，前面道路，新設の杭など，工事の影響を受けない位置に 2 箇所以上設けます。

　　縄張りとは，設計図書を基準に，縄（ロープ）や石灰などを用いて敷地内に建物の位置を表示する作業をいいます。建物の位置と敷地との関係，道路や隣接物との関係などについては縄張りで確認します。

2. 鉄筋の**かぶり厚さ**は，建築基準法施行令第79条で，「鉄筋に対するコンクリートのかぶり厚さは，耐力壁以外の**壁又は床**にあっては **2 cm（20mm）以上**，**耐力壁**，**柱又ははり**にあっては **3 cm（30mm）以上**，・・・としなければならない。」と規定されています。

最小かぶり厚さの規定（mm）

部材の種類		短期	標準・長期		超長期	
		屋内・屋外	屋内	屋外[注2]	屋内	屋外[注2]
構造部材	柱・はり・耐力壁	30	30	40	30	40
	床スラブ・屋根スラブ	20	20	30	30	40
非構造部材	構造部材と同等の耐久性を要求する部材	20	20	30	30	40
	計画供用期間中に維持保全をおこなう部材[注1]	20	20	30	(20)	(30)

直接土に接する柱・はり・壁・床および布基礎の立上り部分	40
基　礎	60

※　設計かぶり厚さは，最小かぶり厚さ＋10mmとする。

注1．計画供用期間の級が超長期で計画供用期間中に維持保全を行う部材では，維持保全
　　　の周期に応じて定める。

注2．計画供用期間の級が標準，長期および超長期で，耐久性上有効な仕上げを施す場合
　　　は，屋外側では，設計かぶり厚さ・最小かぶり厚さを10mm減じることができる。

　　また，スラブや梁底に使用する**スペーサー**は，原則として，**鋼製または
コンクリート製**とします。なお，鋼製スペーサーの場合，型枠に接する部
分には防錆処理を施します。

3．レディーミクストコンクリートの**運搬時間**は，生産者が練混ぜを開始し
てから運搬車が荷卸し地点に到着するまでの時間とし，その時間は**1.5時
間（90分）以内**とします。

　　また，コンクリートの**練混ぜ開始から打込み終了までの時間**は，外気温
が**25℃未満のときは120分以内**とし，**25℃以上のときは90分以内**とします。

コンクリートの時間管理

	外気温	
	25℃未満	25℃以上
打込み継続中における打重ね時間間隔 （コールドジョイントの対策）	150分以内	120分以内
練混ぜから打込み終了までの時間 （品質管理上の必要な時間）	120分以内	90分以内
・高強度コンクリート，高流動コンクリートの練混ぜから打込み終了までの時間については，外気温にかかわらず120分以内とする。		

4．木造在来軸組工法の**2階建て建物**において，柱には**1，2階を1本で通
す通し柱**と，**1，2階で寸断されている管柱**とがあります。また，一般住
宅の場合，断面寸法は**通し柱で120mm角（12cm角），管柱で105mm角
（10.5cm角）**が主に使用されます。

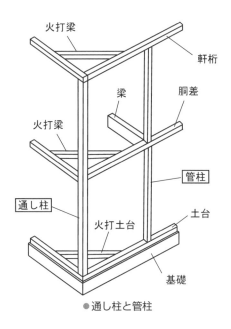

火打梁

軒桁

梁

胴差

火打梁

管柱

通し柱

土台

火打土台

基礎

● 通し柱と管柱

解 答				
1.	①	③	②	①
2.	③	②	④	③
3.	⑤	④	⑥	②
4.	⑦	④	⑧	②

問題 5 －C

解 説

1．P157，【問題20】の【解説】の 5 を参照してください。

改質アスファルトシート防水トーチ工法による平場のシート張付けは，**トーチバーナー**によって改質アスファルトシートの**裏面**及び下地を均一にあぶり，改質アスファルトを溶融させながら，丁寧に密着させます。また，**出隅・入隅の角部**には，あらかじめ**200mm 角**程度の**増張り用シート**を張り付けます。

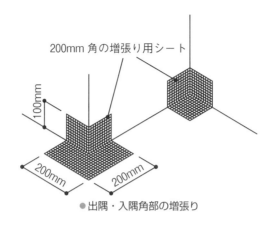

200mm 角の増張り用シート

100mm

200mm　　200mm

●出隅・入隅角部の増張り

2．**密着張り**は，張付けモルタルを**下地のみ**に塗り付け，**振動工具（ヴィブ
　ラート）を用いて**モルタルが軟らかいうちにタイルに振動を与え，埋め込
　むように張り付けます。なお，**張付けモルタル**は，２層に分けて塗り付け
　るものとし，<u>１回の塗付け面積は２ m²以下</u>とし，かつ，<u>20分以内に張り終
　える面積</u>にします。

　　また，タイルの**目地詰め**は，タイル張付け後，少なくとも<u>１日(24時間)
　以上</u>経過した後に行います。

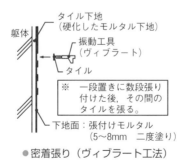

躯体

タイル下地
（硬化したモルタル下地）

振動工具
（ヴィブラート）

タイル

※　一段置きに数段張り
　　付けた後，その間の
　　タイルを張る。

下地面：張付けモルタル
　　　　（5～8mm　二度塗り）

●密着張り（ヴィブラート工法）

3．軽量鉄骨天井下地において，野縁の吊下げは，<u>吊ボルトのハンガーに取
　り付けられた**野縁受け**に，**クリップ**を用いて**野縁**を留め付けます。</u>

　　また，平天井の場合，視覚的に天井が水平に見えるように，<u>天井下地は
　部屋の中央部が高くなるよう，**むくり**をつけて組み立てます。</u>

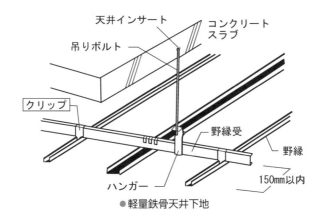

天井インサート
コンクリートスラブ
吊りボルト
クリップ
野縁受
野縁
ハンガー
150mm以内

● 軽量鉄骨天井下地

4．P91，「グリッパー工法」の図を参照してください。

　　グリッパー工法は，部屋の周囲に，**釘針（ピン）の出ているグリッパー**を打ち付け，これに伸張したカーペットを引っ掛けて固定する工法です。**タフデット**カーペット，**ウィルトン**カーペット，**織じゅうたん**などで用いられます。グリッパーは，一般に15cm 程度の間隔で釘打ちし，下地が鉄板や石の場合は接着剤によって固定します。また，**壁際からの隙間**は，張り付ける**カーペットの厚さの２／３程度**を均等にとります。

解 答				
1.	①	②	②	③
2.	③	②	④	④
3.	⑤	③	⑥	②
4.	⑦	①	⑧	③

著者のプロフィール

いおか　かずお
井岡　和雄

（１級建築士，１級建築施工管理技士，
　２級福祉住環境コーディネーター）

　1962年生まれ。関西大学工学部建築学科卒業。
　現在　井岡一級建築士事務所　代表

　建築に興味があり，大学卒業後は施工の実践を学ぶためゼネコンに勤めます。現場監督を経て設計の仕事に携わり，その後，設計事務所を開設します。開設後の設計業務，講師としての講義や執筆活動といった15年余りの経験を通じて，建築教育への思いがいっそう大きく芽生えました。

　現在，設計業務のプロとしてはもちろんのこと，資格取得のためのプロ講師として活動中です。少子・高齢化が急速に進展していく中で，建築の道に進む若い人が少しでも多く活躍することを応援し続けています。

●法改正・正誤などの情報は，当社ウェブサイトで公開しております。
　http：//www.kobunsha.org/
●本書の内容に関して，万一ご不審な点や誤り，記載漏れなどお気付きの点がありました
　ら，郵送・FAX・Eメールのいずれかの方法で当社編集部宛に，書籍名・お名前・ご
　住所・お電話番号を明記し，お問い合わせください。なお，お電話によるお問い合わせ
　はお受けしておりません。
　郵送　〒546-0012　大阪府大阪市東住吉区中野 2-1-27
　FAX　（06）6702-4732
　Eメール　henshu2@kobunsha.org

4週間でマスター
2級建築施工管理　第二次検定

編　　著	井　岡　和　雄	
印刷・製本	（株）太　洋　社	

発 行 所	株式会社 弘 文 社	〒546-0012　大阪市東住吉区 中野 2 丁目 1 番27号 ☎　（06）6797－7 4 4 1 FAX（06）6702－4 7 3 2 振替口座 00940－2－43630 東住吉郵便局私書箱 1 号
代 表 者	岡　崎　　靖	